William C...
april 19...

# Emil and the Detectives

Erich Kästner

*Simplified and brought within the 1200 word vocabulary
of New Method Supplementary Readers, Stage 3, by*
E M Attwood

*and revised by*
D K Swan

Longman

*Note*
Words outside the vocabulary for Stage 3 are shown by a star ★
and are noted at the end of the book

*Acknowledgements*
We are grateful to Walt Disney Productions Ltd., for permission
to reproduce the text photographs.

'Now, Emil,' said his mother, 'hurry up and get ready. I've put your best clothes out on your bed. Dress yourself, and we'll have our dinner.'

'Yes, Mother.'

'Now, let me think. Is there anything else? Your other clothes are in your case. These flowers are for your aunt. I'll give you the money for your grandmother when you've finished eating. Now, go and dress.'

Emil left the room, and Mrs Fisher turned to her neighbour, Mrs Martin. 'My son is going up to the city for two or three weeks. At first he didn't want to go, but what can he do here while his school is closed? My sister has asked us again and again to visit her. I can't go, because I have so much work to do. Emil has never been away before, but he's old enough to travel alone now. Besides, his grandmother is going to meet him at the station.'

'He is sure to like it there,' said Mrs Martin. 'All boys do. There are so many things to see. Goodbye, Mrs Fisher. I must go now.'

Emil came back with his hair brushed and his coat on. He was hungry, and ate a big meal. Sometimes he looked at his mother. 'Perhaps,' he thought, 'she won't like me to eat so much when I'm going away from her for the first time.'

'Don't forget to write to me as soon as you arrive,' she said.

'All right, Mother.'

'Give my love to your aunt and grandmother and your cousin* Polly. And take care of yourself. Be good, so that they won't say that you have no manners.'

'I promise.' replied Emil.

After dinner Emil's mother took a tin box from a shelf in the sitting room, and counted out some money.

'Here is seventy pounds; five ten-pound notes and four five-pound notes. Give your grandmother sixty pounds, and tell her that I couldn't send it before because it took a long time to save. The other ten pounds is for yourself, and it'll pay for your return journey. That will cost about three pounds. Use the rest to pay for what you eat and drink when you go out. I'll put the money into this little bag. Don't lose it! Where will you put it?'

Emil thought for a minute, then he put the bag into the pocket* inside his coat.

'It'll be safe there,' he said.

'Don't tell anyone on the train that you are carrying so much money.'

'Of course not!'

Some people think that seventy pounds is a very small amount of money, but to Emil and his mother it was a great deal.

Emil's father was dead, so his mother worked hard all day to pay for their food and clothes, and for her son's books and his school. Emil did his best in class, not because he liked his lessons, but because his mother was pleased when he got a good report from his teacher at the end of the year.

*Chapter 2*

'It's time to go to the station,' said Mrs Fisher. 'You mustn't miss your train. If the bus comes along, we'll take it.'

The country bus was a very strange-looking thing. It was very old and not at all fast.

Emil and his boy friends wanted proper new buses, but the people in Newton, the little country place where he lived, were quite pleased with their bus. When the driver came to the house of anyone who was in the bus, that person called out and the driver stopped. If anyone was in a great hurry, he walked!

The bus came, and Emil and his mother got in.

They had just reached the station square, and were getting out of the bus when a deep voice behind them said:

'Where are *you* going?'

It was the chief policeman of the little town.

Emil's mother said: 'My son is going to visit his grandmother for two or three weeks.'

Emil felt very foolish. He was remembering something.

In the centre of the station square there stood the stone statue★ of a very famous judge.

The week before, when the boys came out of class, they climbed up and put an old cap on the judge's head, and Emil painted the nose red. But while he was painting it, the chief policeman appeared on the other side of the square.

The boys all ran away, but they were afraid that he had seen who they were.

'Now,' thought Emil, 'the policeman will say:

"Emil Fisher, you must come to prison." '

The policeman said nothing, but Emil was not very happy as he carried his case inside the station.
Perhaps the policeman was waiting till he returned?
Mrs Fisher bought a ticket for Emil. They had only a few minutes to wait.

'Don't leave anything behind in the train. And don't sit on the flowers. Ask someone to lift your case up for you, but when you ask, say "Please".'

'I can lift the case myself. I'm not a baby.'

'All right. You must get out at the right station in the city. It's the East Station, not the West Station. Your grandmother will be waiting for you by the ticket office.'

'I'll find her, Mother.'

'Don't throw the paper on the floor of the carriage after you've eaten your food. And—don't lose the money.'

Emil opened his coat and felt in his pocket.

He said: 'It's safe.'

At last the slow train came into the station. Emil kissed his mother and climbed into a carriage with his case. His mother gave him the flowers and the food and asked if he had found a seat. He had.

'Be good, and write to me.'

'And *you* write to *me*.'

And be nice to Polly. Perhaps you won't know each other.'

The carriage doors were shut, and the train moved slowly out of the station.

Mrs Fisher waved her hand for a long time. Then she turned round and went home. She wept a little.

But she did not weep for long: she had her work to do.

*Chapter 3*

Emil took off his school cap and said, 'Good afternoon, ladies and gentlemen.'

There was a fat lady, who had taken off her left shoe because it hurt her. She was sitting beside a man with a big nose and she said to him: 'Boys do not usually have such good manners as this one.'

As she talked, she moved her painful foot up and down.

Emil put his hand in his pocket and was not happy until he felt the little bag. He looked at the other people in the carriage. They did not look like thieves. A woman who was making a baby's cap sat next to the man with the big nose. At the window, next to Emil, a gentleman with a black hat was reading a newspaper.

Suddenly the gentleman put down his paper, took some sweets from his pocket, held them out to Emil, and said: 'Would you like some of these?'

'Thank you very much,' said Emil, taking one of the sweets. Then he remembered his manners, so he took off his cap again and said: 'My name is Emil Fisher.'

The other people in the carriage looked as if they wanted to laugh. The man raised his black hat and said: 'My name is Green.'

Then the fat lady who had taken off her shoe said to Emil: 'Does Mr Smith, the cloth merchant, still live at Newton?'

'Yes,' Emil answered. 'Do you know him? He has bought the land on which his house stands.'

'Well then, will you tell him that Mrs James from Greenfield hopes that he is well?'

'But I'm going to the city.'

'You can do it when you return,' said Mrs James.

'You're going to the city, are you?' Mr Green asked.

'Yes, my grandmother is meeting me at the ticket office at the East Station,' Emil answered, feeling in his pocket. The money made a little sound: it was still there.

'Do you know the city?'

'No.'

'Well, you will be surprised! Some of the houses there are six hundred metres high. They tie the roofs to the sky so that they won't blow away. If anyone is in a hurry and wants to get to another part of the city, they put him in a box at the post office and send him by post. And if you have no money you can go to a bank and get fifty pounds if you leave your head there. No man can live more than two days without a head, and he can't get it back from the bank unless he pays sixty pounds. And you will see some wonderful machines. . . .'

'Your head must be at the bank just now,' the man with the big nose said to the man in the black hat. 'Stop telling the boy such foolish stories!'

Fat Mrs James stopped moving her foot, and the lady who was making the baby's cap put down her work. The two gentlemen began to shout at each other.

Emil did not care. He got out his food, although he had only just had his dinner. As he was eating his third piece of bread and butter, the train stopped at a big station. Emil could not see the name of the station, nor could he hear what was called out. Most of the people left the carriage: the big-nosed man and the two ladies got out. Mrs James was almost too late because she couldn't get her shoe on.

'Tell Mr Smith what I said,' she called back at Emil.

And now Emil and the man in the black hat were left alone. Emil was not very pleased about this. A strange

man who gives away sweets and tells foolish stories is
not very good company. Emil wanted to feel his money
again, but he didn't dare.

Instead, as soon as the train had started again, he went
into the washroom at the end of the carriage. He took
the little bag out of his pocket and counted the money.
It was still all there, but he did not know how to make it
safer. At last he put a pin through the notes and the bag,
and fixed it inside his coat.

'Now nothing can happen to it,' Emil thought, and he
went back into the railway carriage.


Mr Green was asleep in a corner of the carriage. Emil
liked looking out of the window, and he was glad that
he didn't have to talk to him. Trees, fields, houses, went
quickly past.

Mr Green went on sleeping, making a little noise as he
did so. Emil watched him. Why did he always keep his
hat on? He had rather a long face, and his ears were very
thin and stood out away from his head.

Suddenly Emil jumped with surprise. He had almost
fallen asleep. 'I mustn't fall asleep,' he told himself.
He wished that someone else was in the carriage, but
although the train stopped several times, no one came
in. Emil kicked his foot to keep himself awake, as he did
at school in history lessons.

For a time this helped him. Emil wondered what his
cousin Polly—his aunt's daughter—looked like. He had
not seen her since she came to Newton two years before,
and he could not remember her face.

He nearly fell off his seat! Had he been asleep? He
kicked his foot again. He tried counting the flies on the
window. He counted them up and he counted them
down, and then he counted them again. First there were
twenty-four, then there were twenty-three. Emil fell

back, wondering why the number changed.

As he wondered, he fell asleep.


## Chapter 4

When Emil woke up the train was just beginning to move. He had fallen from the seat in his sleep, and he found himself lying on the floor of the carriage. He had had a bad dream: in it he thought that the policeman from Newton was running after him. He was caught and taken before the stone judge, who had come to life and said: 'You must go to prison for painting my nose.' Emil was afraid.

Slowly he began to remember. Of course, he was going to the city. He must have fallen asleep, like the gentleman in the black hat. . . .

Emil sat up quickly, rubbed his eyes, and said: 'Oh! he has gone!' His knees were shaking. He got up from the floor, brushing his dusty coat with his hand.

He put his right hand into his pocket.

The money was gone!

'Oh!'

Emil took his hand out of his pocket. He took out not only his hand, but the pin with which he had fixed the money to his coat. Nothing but the pin was left. It had gone into his finger and blood was running down.

Emil wept.

Of course he was not crying about this little drop of blood. He was crying about the money. He knew how hard his mother had worked for months to save the seventy pounds for his grandmother, and for his own visit to the city. Now he had been careless and had let a thief take it all!

'What shall I do?' said Emil. 'How can I get off the train and say to my grandmother: "Here I am, but I have no money for you. Not only that, but you must give me some money for my ticket back to Newton.". . .I can't stay in the city. I can't go back home. What a bad world it is!'

Over the window at one end of the carriage there was an electric bell. You could press it to stop the train.

Emil thought, 'Suppose I ring the bell? The train will stop at once. A railway guard will come, and another, and another. They will all ask: "What has happened? What's the matter?" And I shall say: "My money has been stolen." "Why didn't you take care of it?" they'll answer. "What's your name? Where do you live? It costs twenty five pounds to stop the train. Your family must pay."'

In fast trains there is a passage so that you can walk from one end of the train to the other until you reach the place where the guard is sitting. Then you can report a thief. But in a slow train like Emil's there is no passage. You must wait until the train stops at the next station.

'What's the time?' Emil wondered. The train began to pass large houses with bright gardens, then tall buildings with dirty windows. The train was moving more slowly. 'Perhaps this is the city', he thought.

At the next station he must call the railway guard and tell him everything. The railway company would tell the police.

'That means that I'll get mixed up with the police! They'll ask the Newton police about me.' He remembered his bad dream.

In his mind he saw the Newton police chief's report:
*I don't trust the schoolboy Emil Fisher of Newton. He paints*

*the noses of statues. I don't believe that his money was stolen.
Perhaps he was careless and lost it or he hid it so that he could
use it for himself. It's no use looking for the thief. Emil Fisher
himself is the thief. He should be put in prison.*

This was a fearful thought! He could not even tell the
police!

He took his case down, put on his cap, put the pin back
in his coat, and got ready to go.

The train stopped. Emil looked out of the window and
saw a board high up on a wall. It said WEST STATION.
The doors were opened, and people climbed out of the
carriages. Friends were waiting to meet them.

Suddenly he saw a black hat some distance away
among the crowd.  Was it the thief? Perhaps, after
stealing Emil's money, he did not leave the train, but
moved into another carriage while the train was standing
in a station?

Emil got out at once.

He put down his case, jumped back into the carriage
because he had forgotten the flowers, then got out again,
picked up his case and ran as fast as he could towards the
gate.

Where was the black hat? Emil fell against people's
legs, hit someone with his case and ran on. The crowd
was getting thicker and thicker, and it was harder and
harder to get through.

There was the black hat! Oh, but *there* was another!
Emil could hardly carry his case any farther. He wanted
to put it down and leave it, but then, someone might
steal it.

At last he got through the crowd so that he was near the
black hat.

Was it the thief? No.

There was another one. No, this man was too short.

Emil ran in and out of the crowd.

There! There was the fellow! That was Mr Green. He was passing through the gate and seemed to be in a great hurry.

'I'll get you!' said Emil angrily.

He gave his ticket to the railway man, put his case in his other hand, held the flowers under his right arm and ran after the black hat.

'Now or never!' he said.

*Chapter 5*

What Emil wanted to do was to run up to the man and shout: 'Give me that money!'

But the man did not look as if he would say: 'With pleasure, my dear boy. Here it is. I promise you that I will never steal again.'

It was not as easy as that. At present, the most important thing was not to let the man out of his sight.

Emil hid behind a very fat lady who was walking in front of him, and followed the thief outside the station.

'Shall I ask the lady for help?' he wondered. But then he thought: 'Perhaps she won't believe me.'

The man stepped out into the station square. He crossed the road. An electric tram* with a second carriage joined on behind it turned into the road from the right. It stopped. The man got into the front tram car and sat down next to a window.

Emil ran after the tram. He reached the second carriage just as the tram was starting. He threw his case on the step, climbed after it, put it in a corner and stood in front of it.

Motor cars went past the tram, hurrying round corners, closely followed by more cars. What a noise there was! And what a lot of people! There were newspaper boys at every corner, and wonderful windows filled with books, gold watches, clothes, shoes and food. And how very high the buildings were!

'So this is the city!' Emil thought.

He wanted to look at everything, but there was no time for that. In the front tram car sat a man who had Emil's money. He might get off the tram at any minute and escape into the crowd. Then everything would be hopeless.

Emil thought of his grandmother waiting for him at the ticket office in the East Station.

The tram stopped for the first time. Emil watched the car in front. No one got out, but a crowd of new travellers got into the tram. One man was angry because he fell over Emil's case.

The man who was giving tickets inside the tram rang the bell, and the tram moved on.

Suddenly Emil thought: 'Oh! I haven't got any money. If I can't pay for a ticket, the man will send me off the tram.'

He looked at the people standing near him. Could he say to one of them: 'Please give me some money for my ticket?'

One man was reading a newspaper. Two others were talking about money which had been taken from a bank.

'The thieves dug a hole,' one of them was saying, 'and through it they got into the bank and stole thousands of pounds.'

The other laughed.

'Who can believe what people say?' he asked.

'Perhaps only a little money was taken.'

'No,' thought Emil, 'they would never believe *me*.'

The ticket man came nearer and nearer to the door, calling out: 'Tickets! Tickets, please!'

He broke off long white pieces of paper, and made holes in them with a little ticket machine. The people gave him their money and received their tickets.

'And you?' he asked Emil.

'I've lost my money, sir,' Emil said.

'Lost your money? I've heard that story before. And where do you want to go to?'

'I—I—don't know yet,' said Emil.

'Well, then, get off at the next stop!'

'No, I can't do that. I must stay here, please, sir.'

'If I tell you to get off, you get off! Do you understand?'

'Give the boy a ticket!' said the man who was reading a newspaper. He gave the ticket man some money, and Emil received his ticket.

The ticket man turned to the gentleman and said: 'You don't know how many boys get on this tram every day, and try to make me believe that they have lost their money. Then they just laugh at me behind my back!'

'This one won't laugh at us,' the gentleman answered.

'Thank you very much indeed, sir,' Emil said.

'Oh, that's all right,' the gentleman said.

'May I ask where you live, please?'

'Why?'

'So that I can give you back the money as soon as I have some myself. I am staying here for some weeks, so I could bring it to you. My name is Emil Fisher, from Newton.'

'Don't trouble about it,' said the man.

The tram stopped again. Emil looked out to see if the man in the black hat was getting off. He could see nothing.

The tram moved on. Emil looked at the beautiful wide roads. He did not know where he was going. The thief was still sitting in the other tram car. No one paid any attention to Emil. Even the kind gentleman was reading his newspaper again.

The city was so large, and Emil so small. No one cared that he had no money. Two million people lived in the city, and not one of them cared about Emil Fisher.

No one wants to hear about other people's troubles.

'What's going to happen?' Emil felt very unhappy.

*Chapter 6*

While Emil was standing on the step of the tram, his grandmother and his cousin Polly were waiting for him at the East Station. They were standing near the ticket office, as they had promised, looking at the time every minute. A lot of people passed them, carrying boxes and cases and flowers, but Emil was not among the crowd.

'Perhaps he has grown so much that he has passed us and we didn't know him,' said Polly, moving her shining new bicycle backwards and forwards. At first her grandmother had said that she must not bring her bicycle. But she had asked again and again, and at last she was allowed to do so. Now she was very happy, thinking how Emil would look when he saw it, and how he would wish to have one like it.

Her grandmother was troubled.

'What is the matter? What is the matter? I think the train arrived a long time ago.'

They waited a few minutes more, then Polly went to ask about it.

'Can you tell me what has happened to the train from Newton?' she said to the man who stood at the gate looking at people's tickets.

'Newton? Oh, yes, that train arrived a long time ago.'

Polly went back to her grandmother.

'What can have happened? What can have happened?' the old lady said.

'I think that he has got out at the wrong station,' said Polly. 'Boys are so foolish.'

They waited another five minutes.

'It's no use,' said Polly. 'The next train from Newton is in two hours' time. Let's go home now. I'll come back here on my bicycle to meet him.'

'I don't like it, I don't like it, said the old lady. When she was troubled about anything, she always said things twice.

When they got home, Polly's father and mother did not know what to do. Polly's father wanted to write to Emil's mother.

'No, don't do that, said his wife. 'Perhaps he'll come by the next train.'

'I hope he will,' said the old lady. 'But I don't like it, I don't like it!'

'I don't like it, either,' said Polly, shaking her head wisely.

*Chapter 7*

At last the man in the black hat got off the tram. Emil took up his case and the flowers, thanked the gentleman who was reading the newspaper, and stepped off the tram.

Mr Green walked in front of the tram, crossed the road, and walked off on the other side. The tram moved on, and Emil could see the man stop for a minute and then go into an eating house.

'Now,' thought Emil, 'I must be very careful!'

He looked round quickly, saw a house at the corner of the road, and ran into the doorway. It was a good hiding place, and he could see the thief easily.

The man had sat down close to the window. He was looking very pleased with himself. After a time, he ordered some coffee.

Emil did not know what to do. Must he stand watching for ever? Suppose a policeman came along and drove him away?

Suddenly a motor horn★ sounded right at Emil's side. He jumped, turned round quickly, and saw a boy laughing at him.

'Don't be afraid,' said the boy.

'What was that noise by me just now?'

'It was me, of course. You don't live here, or you would know that I always carry a motor horn with me. Everybody in this street knows me and my motor horn.'

'I'm from Newton. I've just come from the station.'

'Newton? From the country? Is that why you're wearing such silly clothes?'

'Don't talk like that, or I'll hit you,' said Emil angrily.

The other boy looked surprised.

'It's too hot to fight,' he said, 'but I will if you want to.'

'I haven't got any time for fighting now,' said Emil, 'I'm busy.'

He looked at the window to see if Mr Green was still there.

'Busy? You aren't doing anything, just standing here!'
'Well, you see,' Emil answered, 'I'm watching a thief.'
'What! Did you say "thief"?'
Emil told him everything that had happened.

'Well, this is wonderful,' said the boy with the horn,
when Emil had finished. 'It's like a detective film at the
cinema*. What are you going to do next?'
'I don't know.'
'Tell that policeman over there. He'll help you.'
'I don't like to. You see, I did something wrong in
Newton, and the police may want to catch me.'
'Oh, I see.' He thought for a minute, and then said:
'If you don't mind, I'd like to help you. My name's
Paul.'
'And mine's Emil.'
They shook hands.

'Well, we must do something,' said Paul. 'Have you any
money left?'
'Not a penny.'
Paul sounded his horn softly to help him to think.
'Could you bring some of your friends?' asked Emil.
'Yes, that's what I'll do! I'll run round the houses
sounding my horn, and crowds of my friends will come
out.'
'But come back soon,' said Emil, 'or the thief may run
away, and if I follow him, you won't know where I am.'
'That's true. I'll hurry, but he's eating some eggs now,
so he won't be leaving at once.'
He ran off.

Emil felt much happier. It is a great help to have friends
when you are in trouble.
He watched Mr Green, who was enjoying his meal.

Perhaps he had bought it with the money that Mrs Fisher had saved so carefully. He did not know that plans were being made against him.

Ten minutes later, Emil again heard the motor horn. He looked and saw about twenty boys marching up the road, led by Paul.

'What do you think of this?' said Paul. 'I've told them what has happened.' He turned to the boys. 'This is Emil, and you can see the thief in the black hat over there in the window. We mustn't let him escape.'

'We'll soon catch him!' said a boy with a loud voice.

'This is the captain,' Paul said. He then told Emil the names of all the others.

'Well,' said the captain wisely, 'we must begin. First of all, give me your money.'

Each boy gave what he had, throwing the money into Emil's cap. There was even a 5 pence coin given by a very small boy who was called Tuesday. Tuesday jumped for joy, because he was allowed to count the money.

'We have eighty five pence,' he reported. 'We ought to give some to three of the boys because we might want to separate.'

'Yes,' said the captain. He and Emil each kept twenty pence. Paul took the rest.

Emil thanked them, and said, 'I'll give you back the money when the thief is caught. What shall we do now?' he asked. 'I would like to put my case and my flowers somewhere safe. It's difficult to run about with them.'

'Just give them to me,' said Paul. 'I'll leave them with the man who keeps that eating house. I know him. And I'll take a good look at the thief while I'm there.'

'But be careful,' said the captain, 'don't let the man know that he's being watched.'

When Paul came back, Emil said: 'Now we must hold a meeting, but we can't do it here, where everybody can see us.'

'We'll go over to the square and sit on the grass,' the captain said. 'Two of us must stay here and watch the thief. Five or six must stand along the road, and run over to tell us at once if anything happens. Then we can come back.'

'Trust me,' said Paul. 'I'll arrange everything, and stay with the watchers. Hurry up. It's getting late now.'

He took the boys he wanted, and the others, led by Emil and the captain, marched off to the square.

## Chapter 8

They sat down on two long seats in the middle of the square by the grass. All looked very serious. The boy who was called the captain began to speak in a loud voice. His father, who was in the army, spoke like that when he was giving orders.

'It's possible,' the captain said, 'that later we shall have to separate. So we shall need a telephone. Who has a telephone at home?

Twelve boys held up their hands.

'And which of you has a father who will let you use it a lot?'

'I think mine will,' little Tuesday called out. 'My family is out at the cinema tonight.'

'And what is your telephone number?'

'West 5478.'

The captain thought for a minute. He turned to a boy named Jan.

'Here's a pencil and paper, Jan; cut the paper into twenty pieces, and write Tuesday's telephone number clearly on each piece. Then give everybody a piece. Our detectives must telephone our telephone office when anything new happens. And anyone who wants to know the news can ask little Tuesday.'

'But I'm not at home,' said little Tuesday.

'But you will be,' the captain answered. 'As soon as we have finished talking, you will go home and attend to the telephone.'

'But I want to be with you when the thief is caught!'

'You go home and attend to the telephone. It's very important work.'

Jan gave out the pieces of paper. Each boy put his piece carefully in his pocket.

The captain went on:

'Anyone who is not needed to follow the thief must stay here in the square until he is wanted. You can all go home one by one and tell your families that you may be very late tonight. Jan, you can go home with Tuesday, and run back here when there is something to report. Is there anything else?'

'We shall need something to eat,' said Emil.

'Who lives nearest?' the captain asked.

Five boys ran off to get some food.

'I think you're very silly,' said a boy called Peter. 'You keep talking about food and telephones, instead of thinking how to catch the man!'

'Could we get his finger-prints\*?' said a boy who read a lot of detective stories.

'Of course not!' said Jan. 'We must trust to chance to get back the money that he has stolen.'

'If we steal the money from him,' said the captain, 'we

shall be thieves ourselves.'

'How shall we be thieves?'

'I'm sure the captain is right,' said Emil. 'It's wrong to take anything from a person secretly.'

'That's it,' said the captain, 'so don't waste any more time. Everything is arranged. We don't know yet how we shall catch him, but one thing is certain: he must give back the money.'

'I don't understand at all,' said little Tuesday. 'How can I steal what is mine already? What's mine is mine, even if it is in some other person's pocket.'

'You're too young to understand,' said the captain kindly.

'Are you all sure that you can act like detectives?' asked Peter. 'If not, the thief will notice you as soon as he turns round, and then everything will be useless.'

'Yes. you'll need some good detectives,' cried little Tuesday. 'That's why I thought you would need me. I could be a wonderful police dog, too. I can make a noise just like a dog.'

No one took any notice.

'I wonder if the thief has a gun,' said Peter.

'This may be dangerous,' said Emil. 'Anyone who is afraid can go home to bed.'

'There's one more thing,' Emil continued, 'I ought to send some news to my grandmother. She doesn't know where I am. She might even go to the police. Can any of you take a letter to Number 15 Bridge Street for me?'

'I'll do it,' said a boy called Robert.

Emil asked for a pencil and paper and wrote:

*Dear Grandmother,*
    *I am sure that you want to know where I am. I am in the city. I cannot come at once, because I have some*

*important business to attend to. When everything is
finished I shall be glad to come. Do not ask what the
business is. The boy bringing you this letter is a friend, and
knows where I am, but he must not tell you. It is a secret.
Give my love to Uncle, Aunt, and Polly.*

*Your loving grandson,*
*Emil*

Emil wrote the number and the name of the street on
the other side of the paper. Robert took it. The captain
gave him the money for his tram ticket, and he hurried
away.

The five boys came back with the food. Emil gave some
food to each detective. A few boys had gone home and
had not returned. Their families would not allow them
to come out again.

The captain then gave the secret word, so that all
would know, if anyone came or telephoned, whether he
was a friend or not. The secret word was 'Emil', because
it was easy to remember.

The captain said to little Tuesday, 'Please telephone
my father and say that I have an important matter to
attend to. I'll have to stay out late.'

'All right,' said little Tuesday, and went home, taking
Jan with him.

'Won't your father be angry?' asked Emil in surprise.

'My father trusts me,' answered the captain. 'I have
promised him that I'll never do anything wrong, and as
long as I keep my promise, I can do what I like.'

'I wish all fathers were like that!' said Peter.

The captain turned to the rest of the boys.

'The detectives expect every boy to do his duty,' he
said. 'I'll leave my money with you. Gerald, you must
be the chief, and see that everybody obeys my orders.

Wait here until you are sent for. When we need any help, Jan will come from little Tuesday's house and tell you. Any more questions? Is everything clear? Our secret word is "Emil". Don't forget.'

'Secret word, "Emil"!' the boys cried, so loudly that all the people in the square looked surprised.

Emil was enjoying himself so much that he was almost glad that his money had been stolen.

*Chapter 9*

Three of the watchers came running along waving their arms.

'Off!' the captain cried, and at once he and Emil and three other boys ran back to Paul.

Paul was waiting for them in the doorway of the house.

The thief was standing outside the eating house. He was buying a newspaper.

'I think he's looking over the top of the newspaper to see if anyone is watching him,' said Emil.

'He didn't look at me once while I was waiting,' said Paul, 'he just went on eating and eating.'

'Quick!' said the captain.

The man in the black hat was putting his newspaper in his pocket and looking at the people in the street. Suddenly he called a taxi which was just passing. It stopped. He got in and shut the door, and the taxi drove off.

But the boys had already got into another taxi, and Paul was saying to the driver: 'Do you see that taxi in front of us? Follow it very carefully, so that the man in it

won't know that he is being followed.'

'What's the matter?' the driver asked.

'It's a secret,' Paul said. 'The man has been doing something wrong.'

'All right,' the driver answered, 'but have you got any money?'

'Of course!'

They drove along several streets. A few people looked surprised to see a crowd of boys in a taxi.

'Down! Down!' Paul said in a low voice. The boys threw themselves on the floor of the taxi and lay there.

'What's the matter?' asked the captain.

'The lights at the corner of the street are red. We can't move until they change. The other taxi has stopped too, and we're just behind it. The man might see us.'

The driver looked round at them and began to laugh. The lights changed to green and they climbed back on to their seats.

'I hope he won't go too far,' said the captain, thinking of the money.

Soon after, the front taxi stopped in a square at the door of a hotel. The thief got out, paid the driver and entered the hotel.

'Follow him, Paul,' said the captain. 'If the place has another door we may lose him.'

The other boys got out. Emil paid the driver. The captain led them quickly through a gateway next to a cinema, and into a large courtyard behind. Then he sent out a boy called Tony to find Paul.

'It will be a good thing for us if the thief stays in that hotel,' Emil said, 'this courtyard is a wonderful place for our head office.'

'Yes, it's near the trams and the post-office telephones,'

the captain said.

He sat down on a chair that stood in the courtyard, looking as serious as if he had to plan a war.

Paul came back.

'We've got him,' he said. 'He took a room in the hotel. There's only one way out. I looked everywhere.'

Tony had stayed to guard the door of the hotel. The captain gave another boy called Walter a coin. He ran over to the post office and telephoned to little Tuesday.

'Is that you, Tuesday?'

'Speaking,' little Tuesday cried.

'Secret word "Emil", Walter speaking. The man in the black hat is stopping at the West End Hotel, Princess Square. Our head office is in the courtyard of the West End Cinema, left gateway.'

Little Tuesday wrote everything down carefully, then he asked what had happened. Walter told him about the taxis.

'How I wish that I were with you!'

'Has anyone else telephoned to you?'

'No.'

'Well, goodbye, little Tuesday.'

Walter went back to the courtyard. It was getting late.

'I'm sure we shan't catch him today,' said Paul.

They thought deeply for some time. Night was coming on, and they felt rather helpless.

The sound of a bell came nearer and nearer. A small shining bicycle came into the courtyard. A girl was riding it, and behind her was Robert.

Emil jumped up and said: 'This is my cousin Polly.'

The captain offered her his chair and she sat down.

'Well, Emil,' Polly began, 'we were just going to the station to meet the next train from Newton when your friend Robert arrived with the letter. You have some very nice friends.'

Robert looked pleased.

'And now,' Polly continued, 'I expect Father and Mother and Grandmother are wondering what has happened to *me*. I didn't tell them anything. I said that I would take Robert down to the door, and then I came out of the house with him. We telephoned to your telephone office and found out where you were. But I must go back at once.'

'Were they angry about me?' Emil asked.

'No. Grandmother kept talking and talking until Father and Mother got her to be quiet. I hope you'll catch your thief tomorrow. Who is your chief detective?'

'This boy,' said Emil; 'he's the captain.'

'I'm pleased to meet a real detective,' said Polly.

The captain looked rather proud of himself.

'And now I must go,' Polly said. 'I'll come back in the morning. I would like to stay and help, but what can I do? Goodbye.'

She rang her little bell and rode away.

*Chapter 10*

Time passed slowly.

Emil went out to see the two guards, Walter and Tony, then very carefully went forward to the hotel, looked round and returned to the courtyard.

'I feel we can't leave the hotel all night without someone to watch for us,' he said. 'There's a boy there who works the lift. Let's speak to him. He may be able to tell us what to do.'

'That's quite a good plan,' said the captain. 'You

aren't so foolish as most people from the country.

'City people don't know everything,' Emil said, feeling a little angry.

Paul said that he would go and speak to the lift boy. Emil could not go, because if the thief came out of his room he would remember him.

Emil and the captain stepped outside the gateway, and began to eat some bread and butter.

It was already growing dark. Electric lamps shone everywhere. The noise of the trams and bicycles and taxis and cars was louder than ever. Dance music was being played at the West End Hotel. Crowds of people were going into the cinema.

'The city is wonderful, of course,' Emil said, 'but I don't think I'd like to live here always. Newton is small, but it's big enough for me. There's too much noise here, and I should always be losing my way.'

'You don't notice the noise if you live here,' said the captain. 'I shouldn't like to live in a small place myself.'

About an hour later, a number of boys appeared with enough food to feed an army. They had come from the other square without orders, and the captain was very angry with them.

'Don't shout,' said Peter. 'We want to know what's happening here.'

'Jan did not come from Tuesday's house with any news,' said Gerald, 'so we telephoned the office and came to see what had happened to you.'

'How many boys are left in the square?' asked the captain.

'Three or four,' said one.

'I think there are only two,' said another.

'Don't speak again,' the captain cried; 'you might say

that there was no one left!'

'And don't shout at us!' Peter replied. 'Who said that you could give us orders?'

'You can go away!' said the captain. 'We don't want you in this business.'

Peter said some bad words and went away.

Just then a boy dressed in green, and wearing a green cap on the side of his head, came to the gateway.

'Is that the lift boy?' said the captain.

The boy came quite close to them.

Suddenly a motor horn sounded, and the boy in green began to laugh.

'Don't you know me?' he asked.

It was not the real lift boy, but Paul.

Everybody laughed. Someone opened a window above the courtyard and shouted: 'Can't you be quiet down there!'

'We mustn't make a noise,' the captain said. 'Come over here and tell us about it.'

'I went into the hotel,' Paul began. 'The boy was standing by the lift. I waved to him, and he came over to me. I told him everything about Emil and the thief. He gave me some of his clothes to wear, so that I could act like another lift boy.'

'But what will the hotel doorman say?'

'The doorman is his father. I may stay in the hotel for the night, and I may take one of you with me. The number of the thief's room is 61. I went up in these clothes and watched. In about half an hour, the door of Number 61 opened, and the thief came out. I stepped in front of him and said: "Is there anything that I can do for you, sir?" "Oh, yes," he said, "tell them to call me early in the morning. Don't forget." "Yes, sir," I said.

Then he went back into his room.'

The captain was very pleased. Emil thanked Paul for what he had done. Everybody felt sure that the thief would be caught the next day.

'Now you can all go home to bed,' said the captain. 'but tomorrow morning early you must be here. Try and bring some more money. Now I shall telephone to little Tuesday, and tell him to send the others home.'

'I'll go to the hotel with Paul,' Emil said.

Everybody said good night.

Soon they were all asleep. Most of them were in their beds at home, but two of them were sleeping in a room at the West End Hotel.

And one of them was asleep in his father's chair next to the telephone. This was little Tuesday. He was dreaming of four million telephone calls.

When his father and mother came home from the cinema they were very much surprised to find their son in a chair.

His mother picked him up and carried him to bed. He spoke in his sleep, saying, 'Secret word, "Emil", secret word, "Emil".'


*Chapter 11*

The next morning, as he was dressing, Mr Green looked out of the window of his bedroom, and noticed a lot of boys in the street below. Some were playing football in Princess Square, others were just standing about talking.

'I suppose the schools are closed today,' he thought.

At the same time, the captain was holding a meeting of the detectives in the courtyard at the back of the cinema. He was shouting angrily.

'While I am trying to think of a way of catching the thief, what do you do? Why have you brought all these boys we don't know? This was supposed to be a secret!'

'Don't be angry, captain,' said Gerald. 'We'll catch the thief.'

'Why don't you send all these boys home?' Walter said.

'They wouldn't go if I asked them,' replied the captain.

'There's only one thing to do,' said Emil. 'We must change our plans. We can't follow the thief secretly with so many boys, so we must let him see what we are doing. We must make a circle round him wherever he goes.'

'I've been thinking the same thing,' said the captain. 'When he has about a hundred boys shouting and running after him, all the people in the street will notice him. Then he'll be glad to give back the money before the police come and ask questions.'

Just then there was the sound of a bell at the gateway, and Polly rode into the courtyard.

'Good morning, you detectives,' she said.

She jumped off her bicycle, and took a little basket from the front.

'I've brought you some coffee,' she said, 'and some food.'

The boys had had their breakfast but, to please Polly, they ate and drank the things she had brought for them. The captain held her bicycle for her, and Emil tied the basket on the front again when they had all finished. They stood talking.

Suddenly there was the noise of a motor horn. Paul came running into the courtyard shouting: 'We must go! He's coming!'

All the boys ran through the gateway. Polly was left alone, not very pleased. She jumped on her little shining bicycle, saying, like her grandmother: 'I don't like it, I don't like it!' Then she rode after the boys.

The man in the black hat was just stepping out of the hotel. He turned to the right. The captain, Emil and Paul sent Tony and Walter to the different crowds of boys to tell them what to do.

In three minutes there were boys all round Mr Green.

The thief did not know what to do. The boys were talking to each other and laughing, but they followed Mr Green carefully. Why did they look at him all the time? He could not understand.

Suddenly a ball was thrown at his head. He jumped with surprise and began to walk more quickly.

At once all the boys began to walk more quickly too.

He tried to turn into a side street, but another crowd of boys came running after him.

'Walk in front of me,' Emil said to Paul, 'I don't want him to see me yet.'

Paul marched on, and Polly rode at the side of the crowd, ringing her little bell.

The man in the black hat did not know what to do next. He tried walking faster than before, but it was no use. He could not escape.

Suddenly he stood still, turned round and ran back along the street. All the boys turned round as well and followed him. Then Walter ran in front of him so that he nearly fell.

'What's the matter with you?' Mr Green shouted. 'Go away, or I'll call a policeman!'

'Oh, yes, please,' answered Walter, 'we've been waiting for you to do that. Why don't you call one?'

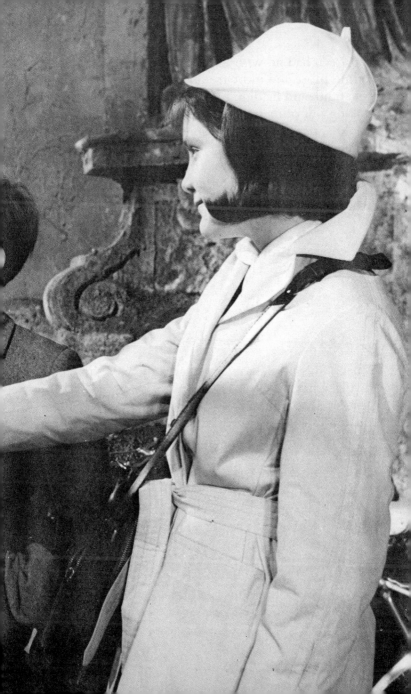

Mr Green had no wish to call a policeman. He was getting more and more troubled. He was beginning to feel afraid, and he didn't know what to do. People were looking out of their windows at him. Soon the police would appear and ask questions.

Then he thought of something.

He saw a bank across the road. He ran quickly to the door and hurried inside.

The captain ran after him. He stopped at the door to say: 'Paul and I are going inside. Emil can stay here until we are ready for him. When Paul sounds his horn, Emil and ten boys must follow us into the bank. Bring some good boys, Emil. This will be a difficult business.'

*Chapter 12*

When Paul and the captain entered the bank, the man in the black hat was already waiting to be served. The bank clerk* was telephoning.

The captain got close to the thief. Paul stood behind, with his hand in his pocket, ready to sound his motor horn.

At last the bank clerk came back.

'What can I do for you?' he said to Mr Green.

'Please change seventy pounds for me. I want five-pound notes for the ten-pound notes, and pound notes for the five-pound notes.'

He took the money out of his pocket.

The bank clerk took up the notes and turned to the place in which his money was kept.

'Stop!' the captain called out, 'that money has been stolen.'

'What!' said the bank clerk in surprise.

All the other men in the bank turned round to see what had happened.

'That money was taken from a friend of mine,' said the captain. 'This man only wants to change it so that nothing can be proved against him.'

'How dare you say that!' shouted Mr Green.

He hit the captain hard on the face.

Paul sounded his horn.

Ten boys came running in through the street door, led by Emil. They crowded round the man in the black hat.

The head of the bank came out of his room at the same time, to ask why there was such a noise.

'This man stole my money yesterday,' said Emil. 'He took it while I was asleep in the train coming here from Newton.'

'But can you prove it?' the head of the bank asked.

'Of course he can't!' the thief laughed. 'I've been here for a week, and yesterday I was in the city from morning till night.'

'It's a lie! It's a lie!' Emil said, almost crying with anger.

'Can you prove that this gentleman is the one who was in the train yesterday?' the head of the bank asked.

All Emil's friends began to look very troubled.

'But I can,' Emil answered. 'Yes, I can! There was a lady in the carriage for the first part of the way. She saw this man sitting near me. Her name is Mrs James and she lives in Greenfield. She herself asked me to speak to her friend Mr Smith, the cloth merchant at Newton, when I got back home from the city.'

The head of the bank turned to the thief.

'Have you any proof that you were in the city all day yesterday?' he asked.

'Of course I have,' Mr Green replied. 'I am stopping at the West End Hotel in Princess Square——'

'But only since yesterday evening,' Paul said. 'I've been there dressed as a lift boy, and I know what I'm talking about.'

All the men in the bank stood listening.

'I must keep the money for the present,' said the head of the bank.

He took a piece of paper and began to write down their names and where they lived.

'The man's name is Green,' Emil said.

The thief laughed loudly.

'You can see that there is some mistake. My name is Miller,' he said.

'He told me in the train that his name was Green,' Emil said.

'Can you prove that your name is Miller?' the head of the bank asked.

'I have no papers with me,' said the thief, 'but if you'll wait a minute, I'll get them from the hotel.'

'Don't believe him!' Emil cried. 'It's my money, and I must have it back at once. My mother gave it to me to take to my grandmother, who lives in Bridge Street.'

'Yes, but even if you are telling the truth, my boy,' the head of the bank said, 'how can you prove that it's your money? Is your name written on it? Or did you write down the numbers of the notes?'

'Of course I didn't,' Emil answered. 'I didn't expect to lose my money.'

'Was there any mark on the notes?'

'No, I don't think so.'

'Well, gentlemen,' the thief cried. 'I am telling the truth when I say that the money is mine. I would never steal from boys.'

'Wait a minute!' Emil cried with joy. 'Listen! In the train I pinned the money into my pocket. So there are two pinholes in each of the notes.'

The head of the bank held the notes up against the light. Everybody watched in silence. The thief stepped back.

'The boy is right,' said the head of the bank, 'there are pinholes in the notes.'

'And here is the pin that made them,' Emil said, proudly putting the pin from his coat on the table. 'And here is the place where I pricked myself with it as well.'

The thief turned round, and ran through the crowd of boys so quickly that several fell down. He ran through the door of the bank and was gone.

'After him!' cried the head of the bank.

Everybody ran to the door.

When they got into the street they found the thief with about thirty boys round him. They held his legs. They held his arms. They held his coat. He was trying to escape, but still they held him.

A policeman came running towards them. Polly had gone on her bicycle to call him.

The head of the bank said to the policeman, 'Take this man to the police station; he seems to be a train thief.' The bank clerk took the money and the pin, and went with them.

It was a strange sight. First there was the policeman and the man from the bank, with the thief between them, and after them ninety or a hundred boys! And like this they marched to the police station.

Polly rode at the side on her little shining bicycle. She called out to her proud and happy cousin:

'I'll ride home and tell them the whole story.'

She rang her little bell and turned into a side road.


*Chapter 13*

The crowd marched along to the nearest police station, where the policeman reported to his chief everything that had happened. Emil added to the report. He was asked to say when and where he was born, what his name was, and where he lived. The police chief wrote down everything he said.

'And what is *your* name?' he asked the thief.

'John Turner,' the fellow answered.

At that the boys—Emil, Paul and the captain—laughed loudly, and the bank clerk, who had given the seven pounds to the police, joined in.

'Well, well,' Paul said. 'First his name is Green. Then he calls himself Miller. Now his name is Turner. I wonder what his real name is.'

'Silence!' said the police chief.

Mr Green-Miller-Turner then gave the date and place of his birth, and said that he was staying at the West End Hotel. He said he had no papers to prove who he was.

'And where were you before you came here yesterday?'

'In Greenfield.'

'That isn't true!' cried the captain.

'Silence!' said the police chief. He spoke again to the thief. 'Mr Turner, did you steal seventy pounds from the schoolboy Emil Fisher of Newton yesterday?'

'Yes,' said the thief sadly. 'I don't know why I did it. You see, the boy sat there in the corner of the carriage asleep. The bag with the money in it fell out of his pocket, so I picked it up. I only wanted to look and see what was in the bag. And as I happened to have no money——'

'That's not true!' said Emil. 'I pinned my money into my pocket. It couldn't possibly have fallen out by itself.'

'And he did have other money,' said the captain, 'or Emil's money would not have been in his pocket this morning. He paid yesterday for eggs and a taxi and coffee.'

'Silence!' said the police chief once more.

He wrote everything down.

'Isn't it possible for you to let me go, sir?' the thief asked. 'I have said that I made a mistake. You know where I live. I'm in the city on business, and I would like to finish it today.'

The police chief took no notice. He telephoned to the head police office, and asked them to send a police car, as a railway thief had been caught.

'When shall I get my money back?' Emil asked.

'At the head office,' the police chief answered. 'You must go there now and report to the chief detective officer.'

The police car arrived a few minutes later, and the thief was told to get in. As it drove away, the boys who were still standing in the street called after him, but he took no notice.

Emil told the boys what had happened, and thanked them for their help. He asked them to telephone to little Tuesday so that he would know about everything. He

said that he very much hoped to see them all again
before he went back to Newton, and that he would pay
back the money that they had given him very soon. The
boys said that they did not want it.

Only Emil's chief friends went with him to the head
police office. They waited outside while he was taken by
a policeman through many rooms till they reached the
office of the chief detective officer.

He was a pleasant man, and when Emil had told him
everything, he gave him back his money.

'Don't let anyone take it again,' he said.

'I certainly won't, sir. I'll take it to my grandmother
at once.'

'You boys did very well indeed,' said the chief
detective officer.

'May I ask a question, sir? What will happen to the
thief?'

'We'll photograph him and take his finger-prints. Then
we shall look in our Book of Thieves to see if he is there.'

'What is your Book of Thieves?'

'That's where we keep photographs of all the people
who have been to prison, and the finger prints of
thieves we are trying to catch. Perhaps the man who
stole from you is one of the men we are looking for. Do
you understand?'

'Yes. I hadn't thought of that.'

*Chapter 14*

The telephone bell rang. 'Just a minute,' said the chief
detective officer. He spoke into the instrument. 'Yes,
come up to my office.'

He turned to Emil and said: 'A few gentlemen are coming to see you. They are reporters from the newspapers.'

'Do you mean that there will be something about me in the newspapers?'

'I think so,' said the officer. 'When a schoolboy catches a thief he becomes famous.'

The door opened and four men entered. The chief detective officer shook hands with them, and told them what had happened to Emil. The four reporters wrote everything down carefully.

'It's a wonderful story,' said one of them. 'A boy from the country becomes a detective!'

'He ought to join the police,' said another.

'Why didn't you go to the police at the beginning and tell them everything?' asked a third.

Emil suddenly felt afraid.

'Well, why didn't you?' asked the detective.

'If I must tell you,' said Emil slowly, 'it was because I painted the nose of the statue in the station square at Newton red. I suppose you will send me to prison now.'

The five men laughed loudly instead of looking angry.

'Why, Emil, we wouldn't send one of our best detectives to prison!' said the officer.

'I'm so glad!' said Emil.

Then he turned to one of the reporters and said: 'Don't you remember me? You paid for my tram ticket on the No. 4 tram yesterday afternoon when I had no money.'

'Of course,' said the reporter, 'and you asked me where I lived, so that you could give me back the money.'

'May I give it to you now?' said Emil, taking a coin from his pocket.

'Of course not,' said the reporter, 'that's all right.'

'I say, Emil,' the reporter said, 'would you like to come with me for a little and see where my newspaper is made? But first we'll go and have some tea and cakes.'

'I should like to very much,' Emil answered, 'but the captain and Paul are waiting for me outside.'

'They must come to tea with us,' said the reporter.

The other reporters wanted to ask a few more questions, so Emil told them everything that they wanted to know, and they wrote it down.

'Is this the first time that Mr Green has stolen anything?' one of them asked the officer.

'I don't think so,' the chief detective answered. 'There may be a great surprise. Telephone me in an hour's time.'

Then the reporter put Emil, the captain and Paul into a taxi, and they all drove off to have tea. Paul sounded his horn on the way, and the boys all enjoyed the reporter's surprise.

They ate a lot of cakes with cream on them, and talked about everything that had happened: the meeting in the square, how they followed the taxi, how Paul dressed as a lift boy, and the fight that they had at the bank.

When they had finished, the reporter said: 'You are three of the finest boys I have met in my life.'

They all felt very proud of themselves.

Next the reporter took Emil to the newspaper office. It was a very large building. People were running in and out of rooms all the time. Everybody was busy, and there was the sound of typewriters* working.

They went into a room where a pretty young lady was sitting. The reporter walked up and down, and told everything that he had heard from Emil to the young lady. Emil watched her as she put it all on paper with her typewriter.

Next the reporter telephoned to the chief detective.

He listened for some time.

'Really, is that the truth?' he said. 'You don't want me to tell him? Thank you very much. It will be a wonderful story for the newspaper.'

He turned to Emil and said: 'Now, come along quickly. We must take your photograph.'

'Why?' asked Emil in surprise.

They went up in the lift into a big room. Emil brushed his hair carefully and had his photograph taken.

Then the reporter took Emil down in the lift to the street and sent for a taxi to take him home.

'Goodbye,' he said. 'Be sure to read the newspaper this afternoon. You will have a great surprise.'

## Chapter 15

On the way to Bridge Street, Emil asked the driver to stop at the place where he had watched Mr Green eating and drinking the day before. The owner of the eating house had kept Emil's flowers and his case quite safe. Emil thanked him.

At last the taxi arrived at his grandmother's house. Emil rang the bell. Then the door opened, and his grandmother was kissing him, and pulling his hair and saying: 'Where have you been all this time? What have you been doing?'

Polly and her mother came running from the kitchen, looking very pleased.

'Have you got the money?' Polly asked.

'Of course,' Emil answered.

He took the six notes from his pocket, and gave his grandmother sixty pounds.

'Here is the money, Grandmother,' he said. 'And Mother sends her love. Please don't be angry because she hasn't sent any money for the last three months, but business wasn't very good, and now she's sending you more than usual.'

'Thank you very much, my child,' the old woman answered.

Then she gave him back a pound note, and said: 'That is for you, because you are such a good detective.'

Next Emil gave the flowers to his aunt. Polly brought a pot of water for them, but when they took off the paper that covered the flowers, they didn't know whether to laugh or cry.

'They are like dried leaves,' Polly said.

'They've had no water since yesterday,' Emil said sadly. 'When Mother picked them yesterday from our garden they were quite fresh.'

'It doesn't matter,' his grandmother said, as she put them in water. 'Now we must have our dinner. Your uncle doesn't come home from work till the evening.'

After dinner, Emil and Polly went out into the street for a little, because Emil wanted to ride Polly's shining little bicycle. His grandmother lay down to rest, and his aunt made an apple cake. Her apple cakes were famous.

As Emil was riding along Bridge Street, a policeman came along. He asked them where Number 15 was.

'Has something bad happened?' Emil asked, remembering the statue.

'Not at all,' the policeman said. 'Are you the schoolboy Emil Fisher?'

'Yes, sir.'

He would not tell them anything else, but walked up to the house and rang the bell.


Emil's aunt asked the policeman to sit down in the sitting room. His grandmother woke up to hear what was happening. Emil and Polly stood near the table, wondering why he had come.

'I have something to tell you,' the policeman began. 'The man whom Emil Fisher followed and caught this morning is a bank thief. The police have been looking for him for quite a long time. We found his finger-prints in our Book of Thieves. He has told the truth about what he has done. Most of the stolen money was found in his hat and the inside of his coat. All in hundred-pound notes.'

'Well, I *am* surprised,' said Polly.


'Two weeks ago,' the policeman went on, 'the bank promised some money to anyone who could find the thief. And because you caught the man,' he said, turning to Emil, 'you will receive the money. The chief detective officer says that he is very pleased.'

The policeman took some notes from his pocket, and counted them on the table.

'Fifty pounds,' he said.

Emil's grandmother offered the policeman some coffee and then he left. The old woman put her arm round her grandson and said: 'I can't believe it! I can't believe it!'

Emil could not speak at all, but Polly jumped up and down and said: 'Now we'll ask all the boys to come to tea.'

'Yes,' said Emil at last. 'But first we'll ask Mother to come and see us!'

*Chapter 16*

The next morning, Mrs Fisher's neighbour, Mrs Martin, rang her bell.

'Good morning, Mrs Fisher,' she said. 'How are you?'

'I'm troubled about my son, Mrs Martin. He hasn't written to me at all since he went to the city. I'm watching for the postman all the time.'

'Well, I just came in to tell you that he sends his love.'

'Where is he? How do you know?'

'He's very well indeed, my dear. He caught a thief. The police gave him fifty pounds for what he did. And so you must go to the city by the next train.'

'But who told you all this?'

'Your sister has just telephoned to me. They want you to go at once.'

That afternoon, when she was sitting in the train, Mrs Fisher had another surprise.

A gentleman was sitting near her reading a newspaper. Suddenly saw something on the front page.

'This is my son!' she cried, pointing to a picture in the centre of the page.

'Well, well,' the gentleman said. 'So you are Emil Fisher's mother. He's a fine boy. You must be proud of him.'

He gave her his newspaper and she began to read.

First, in big letters, came the words:

COUNTRY BOY ACTS AS DETECTIVE
100 CHILDREN FOLLOW A THIEF

Then came the story of all that had happened to Emil, from the time that he left Newton until he got to the city police station.

Mrs Fisher read every word carefully. At last she finished. Then she read it again seven times.

Emil was waiting for her at the East Station.

'Isn't it wonderful!' he said. 'I'm going to buy you a new coat, and I'll get a football for myself.'

'I think,' said his mother, 'that we should put most of the money in the bank and save it. When you are older, it may be very useful to you.'

'Well, you must have your coat. But now I want you to meet my friends.'

'Where are they?'

'At Bridge Street. Aunt has made an apple cake, and we've asked all the boys to come to a tea party. They are there now, making a great noise.'

There was indeed a great noise when they arrived. They were all there: Paul, the captain, Gerald, Walter, Robert, Tony, Jan, little Tuesday and all the rest. There were not enough chairs for everyone.

Polly was running from one to the other with a big pot of tea. Everybody was eating apple cake. The old grandmother was laughing and happy.

Emil's mother thanked the boys for helping her son.

Suddenly the old grandmother stood up.

'Now listen to me. boys,' she began.

There was silence.

'I'm not going to tell you how wonderful you are,' she said. 'I don't think you should be too proud of what you did. It is true that you caught a thief. But there is one among you who wanted to follow Mr Green. He would have liked to go after him in a taxi. He would have been happy to dress in a lift boy's clothes and watch the thief secretly. But he stayed at home, because he promised that he would do so.'

They all looked at Tuesday.

'Yes,' said the old lady. 'I mean little Tuesday. He stayed at the telephone for two days. He did his duty. It was a fine thing to do. And now let's all stand up in honour of little Tuesday.'

The party was over. All the boys went home, promising to meet again before Emil went back to Newton. The family sat talking about what had happened.

'Well,' said Emil, 'I've learnt one lesson. Never trust anybody.'

'And I have learnt,' his mother said, 'that boys oughtn't to travel alone.'

'You're wrong,' his grandmother said. 'You're wrong, quite wrong.'

'Is there no lesson to be learnt from what has happened?' Polly's mother asked.

'Yes, there is,' the old lady answered. 'Life is sometimes difficult, but there are many kind people in the world. A friend in need is a friend indeed.'

# Questions

Chapter 1
1 Which clothes has Emil's mother put out for him?
2 What was Emil's mother's name?
3 Why did Emil eat a big meal?—Because...
4 How much money did Mrs Fisher give Emil?
5 How much was for himself?
6 Was Mrs Fisher rich or poor?

Chapter 2
1 What was the name of the place where Emil lived?
2 Who spoke to them in the station square?
3 What did Emil do to the statue?
4 At which station must Emil get out?
5 What did Mrs Fisher do when the train moved out of the station?

Chapter 3
1 Why did Emil put his hand in his pocket?—To feel...
2 What did the gentleman offer to Emil?
3 Which traveller knew someone in Newton?
4 Who told Mr Green not to tell foolish stories?
5 What happened when the train stopped at a big station?
6 Why was Mrs James almost too late?
7 Where and how did Emil fix the money?
8 What things did Emil do to keep himself awake?

Chapter 4
1 Where was Emil when he woke up?
2 What did Emil take out of his coat?
3 How much does it cost to stop the train?
4 What must Emil do at the next station?
5 What did Emil remember?
6 What was the name of the station?
7 Why couldn't Emil hurry?
8 Where did Emil see Mr Green?

Chapter 5
1 Why didn't Emil ask the lady for help?
2 Which tram car did the man get into?
3 Why couldn't Emil look at everything?
4 What might the thief do?

5 Did Mr Green get out when the tram stopped?
6 What were the two men talking about?
7 What did Emil say to the ticket man?
8 Who paid for Emil's ticket?
9 How many people lived in the city?

*Chapter 6*  1 What did Polly want Emil to see?
2 What did Polly think about boys?—That they...
3 When will the next train from Newton arrive?

*Chapter 7*  1 Where did the man in the black hat go?
2 What made Emil jump?
3 Who sounded the horn?
4 Emil said that he would...the other boy.
5 What was the boy's name?
6 How did Paul call his friends?
7 How many boys did Paul bring with him?
8 What was the first thing that the captain did?
9 Why was Tuesday pleased?
10 Who did Paul give Emil's case and flowers to?
11 Where did they hold their meeting?

*Chapter 8*  1 Whose telephone will they use?
2 What did Jan write?
3 Who will stay with Tuesday?
4 What does Emil say it is wrong to do?
5 What will happen if the boys cannot act like detectives?
6 What other thing ought Emil to do?
7 Who took the letter?
8 Why had some boys not returned?
9 What was the secret word?
10 Who will be chief of the boys in the square?

*Chapter 9*  1 What did the man in the black hat do suddenly?
2 What did Paul tell the driver to do?
3 Why did the captain hope that Mr Green would not go too far?
4 Where did the front taxi stop?
5 Where did the captain lead the detectives?
6 Who stayed to guard the door of the hotel?
7 What was the hotel called?
8 What sound did they hear?
9 Who came into the courtyard?
10 How did Robert and Polly find out where Emil was?

*Chapter 10*   1 What did they want the lift boy to do for them?
2 Who went to speak to the lift boy?
3 Why was the captain angry?
4 Who was wearing a lift boy's clothes?
5 What did the thief say to Paul?
6 What must they bring tomorrow?
7 Which boys were not sleeping in their own beds?

*Chapter 11*   1 What did Mr Green notice the next morning?
2 Why must they change their plans?
3 What will they do to the thief wherever he goes?
4 What did Polly bring?
5 Where did the boys run?
6 Why did Mr Green jump with surprise?
7 What happened when Mr Green ran back along the street?

*Chapter 12*   1 Why did Paul have his hand in his pocket?
2 What did Mr Green ask the bank clerk to do?
3 What did Mr Green do to the captain?
4 Why did the head of the bank come out of his room?
5 Where did Mr Green say he was yesterday?
6 Why can say that Emil is speaking the truth?
7 What will the head of the bank do with the money?
8 What did Mr Green say that his name was?
9 The head of the bank asked Emil: 'Did you write down . . . .
10 What marks are in all three notes?
11 How many boys were round the thief?
12 Who called the policeman?
13 Where did they all go?

*Chapter 13*   1 What did the policeman do at the police station?
2 Mr Green told the chief-of-police three things that were not true. What were they?
3 What did the thief want to finish?
4 To whom must Emil report?
5 Who went away in a police car?
6 Try to say or write down Emil's exact words to the boys.
7 What do the police keep in their Book of Thieves?

*Chapter 14*   1 Who are coming to see Emil?
2 How many reporters were there?
3 Emil had seen one of the reporters before. Where?
4 What will Emil go and see?
5 What did they eat?

60

# List of extra words

| | | | |
|---|---|---|---|
| 12 | bank clerk | 9 | taxi |
| 7 | cinema | | |
| 1 | cousin | | |

| | |
|---|---|
| 8 | finger-print |
| 7 | horn, motor horn |
| 1 | pocket |

5    tram, tram-car

14    typewriter

2    statue

Longman Group Limited
London

*Associated companies, branches and representatives throughout the world*

© Longman Group Limited 1950 and this edition 1976

*First published in this edition*
*by arrangement with Messrs Jonathan Cape Ltd 1950*
*New impression ★1959; ★1960; ★1961; ★1962; ★1963; ★1964; ★1965;*
*★1966; ★1967; ★1968; ★1969; ★1970; ★1971; ★1972 (twice); ★1974;*
*★1975 (twice)*

New edition 1976
New impression ★1977

ISBN 0 582 53448 8

Printed in Hong Kong by Sheck Wah Tong Printing Press
Set in 12/13 Bembo

www.tulsaworld.com
TUESDAY
SEPTEMBER 11, 2001

# TulsaWorld
#### SINCE 1905

50¢

11776  00001

# ATTACK
# ON AMERICA

NBC / Associated Press

# Daily Mail

WEDNESDAY, SEPTEMBER 12, 2001

Newspaper of the Year 40p

SPECIAL PRE-MIDNIGHT EDITION

# APOCALYPSE

## New York. September 11, 2001

# 30 PAGES OF PICTURES AND SPECIAL REPORTS

# DAILY EXPRESS

FIRST FOR BREAKING NEWS     The Award Winning Newspaper     WEDNESDAY SEPTEMBER 12, 2001 35p

## THE MOST COMPLETE AND UP TO DATE COVERAGE

WORLD ON THE BRINK 2-7 ● TOWERS OF DEATH 8-11 ● EYEWITNESS TERROR 12-13 ● PENTAGON IN RUINS 14-17
THE TIMETABLE OF HORROR 18-19 ● HUNTING DOWN THE MURDERERS 20-21 ● WHERE IT COULD HAPPEN HERE 26-35

# DECLARATION OF WAR

# SOMMAIRE

# TERRORISMES
## VIOLENCE ET PROPAGANDE

François-Bernard Huyghe

DÉCOUVERTES GALLIMARD
HISTOIRE

« Depuis un an, je ne pense à rien d'autre. C'est pour ce moment que j'ai vécu jusqu'ici. Et je sais maintenant que je voudrais périr sur place, à côté du grand-duc. Perdre son sang jusqu'à la dernière goutte ou bien brûler d'un seul coup, dans la flamme de l'explosion, et ne rien laisser derrière moi. Comprends-tu pourquoi j'ai demandé à lancer la bombe ? Mourir pour l'idée, c'est la seule façon d'être à la hauteur de l'idée. C'est la justification. »

Albert Camus, *Les Justes*, 1950

**CHAPITRE 1**

# TUER POUR L'IDÉE

Des autonomes italiens manifestent à Bologne en 1977, les doigts levés en forme de pistolet (page de gauche). Avec des slogans comme « Flic, tire-toi, voilà le P38 », ils ne cachent pas leur solidarité, au moins verbale, avec les groupes terroristes de l'époque. La mouvance sympathisant avec eux a été estimée à cent mille personnes.
À droite, la figure de l'anarchiste à la bombe prêt à tuer des bourgeois au hasard hante la Belle Époque dans toute l'Europe.

### Terrorisme ? La chose précède le mot

L'assassinat politique est banal depuis des millénaires. Le débat autour de la légitimité du tyrannicide – doit-on tuer un oppresseur pour libérer un peuple ? – oppose Platon et Aristote puis les théologiens chrétiens. Des sectes envoient des commandos suicides poignarder les chefs occupants et leurs collaborateurs (zélotes du début de notre ère en lutte contre les Romains ou hashishins chiites contre les croisés et les Turcs). La guérilla – terme qui n'apparaît qu'après 1800 – est déjà théorisée au Xᵉ siècle par le Byzantin Nicéphore Phocas. Dès 1794, le dictionnaire accueille le mot « terrorisme », mais sa définition se réfère à un terrorisme d'État, celui qui propage la Terreur de 1793. En 1800, une bombe républicaine vise Napoléon et tue vingt-deux innocents, mais on parle alors de « conspiration »… En 1870, les Prussiens fusillent les combattants français sans uniforme comme « francs-tireurs », et non comme terroristes. Bref, jusqu'à la fin du XIXᵉ siècle, personne n'emploie le mot terrorisme au sens moderne : action de groupes clandestins non étatiques commettant des attentats dans un but idéologique sur des cibles symboliques.

Vera Zassoulitch (1849-1919), d'origine noble, est d'abord proche du groupe Narodnaïa Volia (Volonté du peuple). Elle est emprisonnée pour ses idées révolutionnaires et libérée en 1871. Après avoir tenté de tuer le préfet Trepov responsable de la répression contre le groupe des étudiants dit des « 193 », elle émigre à Genève, comme nombre de Russes. Elle se convertit au marxisme et se rapproche de Plekhanov (avec qui elle fonde Libération du Travail). Elle devient menchevik et donc opposante à Lénine.

### La première terroriste, Vera Zassoulitch

En 1862, un Comité central de la Révolution placardait des manifestes dans Saint-Pétersbourg : « À vos haches ! Abattez sans pitié le parti du tsar comme il est sans pitié dressé contre vous » et ajoutait : « Si nous venons à échouer…, nous poserons sans crainte la tête sur le billot. » Prêts à assassiner pour une idée et à mourir pour un idéal : tout est dit. Netchaïev, manipulateur mythomane, fascinait l'anarchiste

Bakounine et prônait la violence la plus désespérée dans un sulfureux *Catéchisme du révolutionnaire* (1868). Son seul exploit fut, en 1869, de créer un groupe fantomatique – la Vengeance du peuple – et de lui suggérer d'exécuter un de ses membres suspecté de trahison ; le drame fournit l'intrigue des *Possédés* (1871) de Dostoïevski.

Le 24 janvier 1878, l'étudiante Vera Zassoulitch tire et blesse le préfet de police de Saint-Pétersbourg qui faisait fouetter des protestataires. À la surprise générale, elle est acquittée et s'enfuit. Ces exploits lui valent une notoriété chez les révolutionnaires en exil ; elle correspond avec Marx et Lénine.

Cette même année 1878, Guillaume II d'Allemagne, Humbert Ier d'Italie et Alphonse XII d'Espagne échappent à des attentats.

Mais Vera Zassoulitch n'est ni une régicide, ni une théoricienne ; elle s'attaque à un représentant de l'autocratie, et prétend faire acte de justice et de pédagogie, afin que tremblent les tyrans et pour que le peuple se soulève. Elle tire pour être entendue et pour être imitée. Pas seulement pour « terroriser ».

Les *narodniki*, que l'on baptisera « nihilistes » dans toute l'Europe, sont nés d'une scission en 1879 du groupe Terre et Liberté, les uns voulant aller au peuple pour le convaincre par la seule parole, les autres préconisant le terrorisme individuel pour accélérer la venue de la révolution. Des anarchistes (deux des pères du courant libertaire, Bakounine et Kropotkine, sont russes) choisissent la même voie. Le terrorisme est partout présent en Russie.

Le mot « terrorisme » met longtemps à entrer dans l'usage. À la Belle Époque, les poseurs de bombes sont plutôt catalogués comme « nihilistes » (pour les Russes), anarchistes (pour les Européens)… Les premiers ouvrages à propos (et en faveur) du « terrorisme » paraissent en 1880, écrits par deux Russes, eux-mêmes poseurs de bombes : Nikolaï Morozov (*La Lutte terroriste*) et Gerasim Romanenko (*Terrorisme et routine*). Il faut attendre les années 1920 pour que le terme se banalise en français.

Les *narodniki* pratiquent systématiquement l'attentat contre les militaires et les hauts fonctionnaires. Ils tuent le tsar Alexandre II en 1881 après plusieurs tentatives manquées (ci-dessus, en 1879). La répression qui suit met fin à leur mouvement.

En Russie, le parti socialiste révolutionnaire (PSR) se dote d'une « brigade terroriste », l'Organisation de combat. Moderniste, elle envisage d'attaquer le palais d'Hiver… en avion. Son manifeste de 1905 préconise « l'activité terroriste » et en explique les buts : décrédibiliser le gouvernement, radicaliser le conflit, stimuler l'esprit révolutionnaire et préparer des forces armées pour renverser l'autocratie. Ces justifications stratégiques seront reprises par bien d'autres.

Lénine (dont le frère, Alexandre, est pendu pour tentative d'attentat contre Alexandre III) désapprouve ces initiatives individualistes, « gauchistes » et désordonnées. Cependant, les attentats du PSR ou des anarchistes se multiplient : selon l'historienne Anna Greifman, de 1900 à 1917, le terrorisme fait dix-sept mille victimes.

Parallèlement s'ouvre un débat récurrent à propos des victimes : lesquelles est-il légitime de frapper, comme complices du système ? En 1905, Kaliayev ne lance pas sa bombe sur une voiture où se trouvent les deux enfants du grand-duc Serge, qu'il tuera quelques jours plus tard lorsqu'il sera seul. Ce terrorisme « moral », sujet des *Justes* de Camus, fait figure d'exception : très vite des bombes explosent à l'hôtel Bristol de Saint-Pétersbourg ou au café Libman d'Odessa, bientôt dans des trains. L'attentat « aveugle » est né.

Les idées anarchistes bouillonnent avec Bakounine et Kropotkine qui prône « la révolte permanente par la parole, par l'écrit, par le poignard, par le fusil, la dynamite… » (l'invention d'Alfred Nobel de 1866, la dynamite, a mis des capacités de destruction inédites à portée du faible). Ces discours trouvent écho en Europe.

Le poète Kaliayev, membre du PSR, est pendu en 1905 pour avoir tué le grand-duc Serge. Dans sa cellule, il reçoit la visite de la grande-duchesse Élisabeth, qui veut obtenir son repentir et est prête à demander sa grâce s'il reconnaît sa faute. Il refuse et monte fièrement à l'échafaud, considérant que sa mort sera un exemple plus utile pour la révolution. Dans sa pièce *Les Justes*, Camus lui fait dire : « Je suis un prisonnier de guerre, non un accusé… J'ai lancé une bombe sur votre tyrannie, non sur un homme. » Ce à quoi Souratov, le policier, répond : « Sans doute. Mais c'est l'homme qui l'a reçue. »

### Anarchie + dynamite

Pourquoi les bombes ? D'abord pour venger les camarades. Le 1er mai 1891, l'armée tire sur des grévistes à Fourmies : neuf morts. Le même jour, à Clichy, manifestants et policiers échangent des coups de feu pour un drapeau rouge ; des anarchistes sont arrêtés, tabassés et lourdement condamnés. François Königstein, dit Ravachol, décide de punir les responsables. En 1892, avec quelques compagnons, il vole de la dynamite, et, le 11 mars, pose une première bombe boulevard Saint-Germain contre l'appartement d'un juge du procès de Clichy puis une seconde chez l'avocat général. Il n'y a que des blessés, mais l'impact sur l'opinion est énorme. Ravachol est arrêté dans un restaurant où il parle trop. Jugé avec ses complices, il est condamné au bagne. Puis, reconnu grâce au système anthropométrique de Bertillon comme auteur de trois meurtres crapuleux antérieurs aux attentats politiques, il est condamné à mort pour ces crimes. Il monte à l'échafaud en criant « Vive l'anarchie ! ».

Son mythe est né, exalté par des chansons et des livres. À sa mémoire, Auguste Vaillant lance une bombe sur l'Assemblée nationale en 1893. En 1894, Émile Henry qui en fait exploser deux contre un commissariat puis au café Terminus se justifie en disant : « Il n'y a pas d'innocents. » L'Italien Caserio tue le président Sadi Carnot le 24 juin 1894. Tous trois meurent comme leur modèle en clamant leurs convictions libertaires. D'autres prennent la suite : le cordonnier Léauthier poignarde un bourgeois dans la rue « pour venger le sublime compagnon Ravachol ».

Dès 1881 à leur congrès de Londres, les anarchistes avaient opté pour la « propagande par le fait ». La résolution finale souligne les limites du discours et préconise des moyens en accord avec l'imminence de la révolution. D'où force allusions « aux sciences

Ravachol (ci-dessous), est considéré comme un bandit anarchiste par les uns, martyr à venger par ses camarades. Il sera guillotiné en 1894.

7ᵉ Édition.                    LE NUMÉRO 10 CENTIMES                    1ᵉʳ Mai

# La Dynamit

**COURRIER SPÉCIAL DES EXPLOSIONS PARISIENNES**

| DIRECTEUR POLITIQUE | BUREAUX DE VENTE | RÉDACTEUR EN CHEF |
|---|---|---|
| RAVACHOL | PARIS. — 30, rue du Croissant. — PARIS | MATHIEU |

## PROGRAMME OFFICIEL
### Des Explosions du 1ᵉʳ Mai à Par

La presse anarchiste donne des recettes pour fabriquer des bombes (ci-dessus, *La Dynamite*).

« La propagande par le fait », qui comprend bien plus que l'attentat individuel, est ainsi définie par des responsables anarchistes :
« 1) Destruction intégrale par la force des institutions actuelles.
2) Nécessité de faire tous les efforts possibles pour propager par des actes l'idée révolutionnaire et l'esprit de révolte.
3) Sortir du terrain légal pour porter l'action sur le terrain de l'illégalité, qui est la seule voie menant à la révolution.
4) Les sciences techniques et chimiques ayant déjà rendu des services à la cause révolutionnaire, il faut recommander aux organisations et aux individus faisant partie des groupes, de donner un grand poids à l'étude et aux applications de ces sciences, comme moyen d'attaque et de défense.
5) L'autonomie des groupes et des individus est acceptée, mais afin de maintenir l'unité d'action, chaque groupe a le droit de correspondre directement avec les autres groupes, et pour faciliter ces relations un bureau central de renseignements internationaux sera créé. »

techniques et chimiques ayant déjà rendu des services à la cause révolutionnaire ».

L'Assemblée nationale adopte trois lois « scélérates » en 1893 et 1894 : elles punissent la provocation indirecte ou l'apologie, incriminent de simples sympathisants, définissent très largement la propagande à visée anarchiste, instaurent des procédures d'exception, censurent, s'en prennent aux idées autant qu'aux actes. Elles se révèlent difficiles à appliquer et par leur excès et par l'indignation qu'elles suscitent ; la dernière ne sera pourtant officiellement abolie qu'en 1992.

La France n'est pas un cas unique : en 1893 la bombe du théâtre Liceo de Barcelone fait vingt-deux morts ; dans toute l'Europe les attentats se multiplient. Sur fond de violence sociale, commence la litanie des chefs d'État assassinés : 1897, le président du Conseil espagnol Cánovas del Castillo qui a fait exécuter des anarchistes ; 1898, l'impératrice Sissi ; 1900, Humbert I<sup>er</sup> d'Italie ; 1901, le président américain McKinley, plus des tentatives contre Léopold II de Belgique, Clemenceau, etc. C'est la « décennie des bombes » : l'Europe a peur, guillotine, garrotte ou fusille des « bandits anarchistes ».

En 1911, la « bande à Bonnot » que rien, hors ses références politiques ne distingue de gangsters ordinaires, multiplie les braquages en auto (une nouveauté pour l'époque). Des vigiles ou des gardiens sont tués. L'aventure s'arrête en 1912 : la bande est prise au cours de deux longs sièges sanglants, et les

# LA CAPTURE ET LA MORT DU BANDIT BONNOT

derniers survivants sont exécutés en avril 1913.

La doctrine des libertaires évolue, passant de « la propagande par le fait » à « l'action directe » ; c'est l'intervention du prolétariat dans les luttes, sans la médiation de représentants officiels. Cette stratégie suppose des grèves, des sabotages sur le lieu de travail, une résistance constante et spontanée des producteurs… La violence armée n'apparaît plus que comme une tactique parmi d'autres. Si la nuance paraît subtile, le changement de terminologie signifie que les « anars » renoncent de fait à la dynamite. Il y a des exceptions, tel l'attentat anarchiste à New York en 1920, qui fait

Jules Bonnot (1876-1912) commence une carrière de cambrioleur à la trentaine. Il invente le braquage en automobile avec des complices qui partagent ses convictions anarchistes. Repéré, il meurt après un long siège mené par le préfet Louis Lépine dans un pavillon de Choisy-le-Roi, que les assaillants finissent par dynamiter.

trente-huit morts et deux cents blessés à Wall
Street. Pourtant, de la Première Guerre mondiale au
seuil des années 1970, les bombes vont moins viser
à détruire la société qu'à construire une nation.

### Armées secrètes et nations futures

Indépendantistes, séparatistes, anticolonialistes
combattent les occupants étrangers, leur
administration et leurs collaborateurs. Leur
stratégie intègre souvent la phase de violence
clandestine comme prélude au soulèvement général
ou à une négociation avec le gouvernement légal
qu'ils veulent chasser.

L'Organisation révolutionnaire intérieure
macédonienne (ORIM) est fondée en 1893. Elle lutte
contre l'occupant ottoman et pour l'unification avec

La « bande à Bonnot »,
dont certains s'étaient
rencontrés au siège
du journal *L'Anarchie*,
se rend célèbre par
l'attaque d'un caissier
en décembre 1911
et tue plusieurs fois
des policiers ou des
passants au cours
de vols. Elle est vite
identifiée, plusieurs
de ses membres arrêtés.
Après Bonnot, les deux
survivants principaux,
Garnier et Valet, sont
tués dans un second
siège, le 14 mai 1912
à Nogent-sur-Marne.

la Bulgarie. Après des décennies de guerre de partisans dans les montagnes et d'attentats antiturcs, et sous divers noms, elle traverse l'entre-deux-guerres, luttant pour un État thrace et macédonien. Elle s'allie à l'Oustacha croate pour des actions dont l'assassinat d'Alexandre I$^{er}$ de Yougoslavie à Marseille en 1934. En riposte, la Société des Nations adopte en 1937 deux très inefficaces conventions contre le terrorisme déjà dit international. Otages étrangers, bombes dans les trains, commandos paramilitaires, services secrets de pays commanditaires et attentats sans frontières : tout est inventé dès les années 1930.

La référence des indépendantistes est la terre, le peuple et la souveraineté. Ils s'autorisent d'une légitimité nationale pour lever une armée, même clandestine, attaquer la puissance étrangère et ses représentants jusque chez elle. Ils veulent signer des trêves, former des gouvernements. Et en définitive, fonder un État.

Le 9 octobre 1934, le nationaliste bulgare Tchernozemski tue à Marseille Alexandre I$^{er}$ de Yougoslavie (ci-dessous). Plusieurs personnes, dont le ministre Louis Barthou, périssent par balle. L'assassin est tué par la police et par la foule. Il y aura toujours une controverse sur les responsabilités des commanditaires et des acteurs : oustachis, ORIM, services secrets allemands, italiens... Tchernozemski est aujourd'hui célébré comme un héros par les nationalistes macédoniens.

## Pour le territoire

C'est ce que démontre un
cas emblématique : l'Irish
Republican Army (IRA), qui
prend la suite d'autres groupes
comme les Irish Volunteers,
responsables de l'insurrection
des Pâques sanglantes de
Dublin en 1916. L'IRA est le
type même du groupe politique
à modèle militaire fait pour
rendre coup pour coup aux
forces de la répression. Ses
premières cibles sont les postes
de police anglais (trois cents
attaqués simultanément en
1920), les hommes des services
secrets, ou les Black and Tans,
troupes responsables de
la répression la plus féroce.
L'IRA frappe jusqu'en territoire
britannique. Après le traité
anglo-irlandais de 1922 et la

création de l'État libre d'Irlande, l'IRA première
manière, old IRA, subit la scission d'une nouvelle
IRA, opposée à la paix et qui luttera jusqu'en 1969.
Cette dernière se divise à son tour en IRA
« officielle » et « provisoire », la seconde continuant
la lutte avec l'aide d'une vitrine légale, le Sinn Fein.
La très longue histoire des IRA comporte d'autres
scissions et d'autres attentats contre des politiques,
dont lord Mountbatten qu'elles tuent et Margaret
Thatcher qu'elles manquent. Et d'autres bombes,
dont celle dans une voiture piégée qui fait vingt-neuf
morts le 15 août 1998 à Omagh. L'accord du 28 juillet
2005 par lequel l'organisation affirme déposer les
armes est censé mettre fin à neuf décennies de lutte
armée. Mais la *real* IRA veut continuer.

Avec une carrière plus brève et une phraséologie
plus marxiste, l'ETA, Euskadi Ta Askatasuna (Pays
basque et liberté), illustre la même dialectique
entre action politique et militaire, façade légale

La Real Irish
Republican Army
paramilitaire
scissionniste, séparée
en 1997 de l'IRA dite
« provisoire », veut
poursuivre le combat
jusqu'à l'unification de
l'Irlande. La Real IRA
a été retirée des listes
d'organisations
terroristes de l'Union
européenne en 2010
(mais est toujours
considérée comme telle
par les États-Unis et la
Grande-Bretagne). Elle a
pourtant revendiqué
des attentats à la bombe
jusqu'en octobre 2010.

et commandos. Sous le franquisme, dès 1959, commencent tirs contre des gardes civils, attaques de banques, impôt révolutionnaire... Suivent l'assassinat du Premier ministre Luis Carrero Blanco en 1973, la répression, des représailles pour venger les camarades exécutés, une scission entre une aile militaire et une autre qui renonce à l'action armée : toujours la même logique. Et la même dérive mène des premiers attentats ciblés sur des policiers, militaires ou responsables politiques à des assassinats de « traîtres », intellectuels, élus ou anciens militants qui ont déposé les armes et aux voitures piégées qui tuent au hasard. L'ETA, toutes tendances confondues, serait responsable de 829 morts ; le cessez-le-feu annoncé le 15 septembre 2010 est le treizième de son histoire.

L'ETA a été fondée en 1959 pour lutter contre Franco. Puis elle est devenue un mouvement séparatiste marxiste-léniniste, luttant par les armes contre la nouvelle démocratie. Depuis

Autre organisation luttant sur et pour un territoire, la LTTE, Liberation Tigers of Tamil Eelam, fondée en 1973. Les « Tigres tamouls » combattent pour un État indépendantiste dans le nord-est du Sri Lanka. À l'issue d'une guerre civile dont on dit qu'elle fit près de cent mille morts, les Tigres finissent encerclés par l'armée en 2009. Si ces nationalistes, hindouistes et marxistes, ont fait exploser des bombes et pratiqué les attentats dans les villes, ils ont pu tenir tête à des corps d'armée, contrôler durant des années une zone en montagne et dans la jungle, se doter d'une ébauche de marine (avec sous-marins) ; ce qui donne une autre dimension

1989, les trêves annoncées sont vite rompues par des bombes (ci-dessus), des assassinats ou enlèvements. Les « etaras » utilisent souvent le Pays basque français comme base arrière.

stratégique à leur action. La frontière est fragile entre terrorisme (attentats sporadiques commis en ville par des groupes clandestins) et vraie guérilla rurale où des groupes permanents et mieux armés disputent, parfois en uniforme, le contrôle de zones entières aux troupes régulières. Même si la guerilla demande un minimum de soutien des populations.

Toutes deux sont des stratégies qui peuvent se combiner, non des idées pures qui qualifieraient la nature d'un groupe en conflit. Ainsi, l'OAS, Organisation armée secrète, quand elle combattait les nationalistes algériens en 1962, en imitait souvent les méthodes au nom d'une idéologie radicalement opposée.

Reste un problème insoluble : produire une définition universelle du terrorisme, en vertu de l'axiome « combattants de la liberté des uns, terroristes des autres ». Les instances internationales tentent de dresser des listes d'organisations terroristes. Résistants reconnus par

La LTTE tamoule est connue pour la large féminisation de ses troupes (ici, des combattantes en 1996) et pour son culte du sacrifice. Dès 1987, avant que la technique de l'explosif déclenché par celui qui le porte ne se répande dans les groupes islamiques, les Tigres se sont fait connaître par le recours aux kamikazes (dont un tiers de femmes) et par l'habitude de porter une capsule de poison pour ne pas être pris vivant. Ils ont pratiqué aussi bien la guérilla de jungle que le terrorisme urbain.

l'Histoire, à commencer par la Résistance française, partis dirigeants d'États devenus souverains, FLN algérien et ANC sud-africain furent d'abord criminalisés. La postérité donne des noms de place (voire le prix Nobel) à ceux que l'autorité qualifiait hier de lâches assassins, mais qui ont gagné la « guerre du pauvre » et l'opinion internationale.

### L'extrême gauche européenne en armes

La question de la légitimité se pose en d'autres termes pour la troisième grande catégorie du terrorisme : les groupes révolutionnaires qui passent à l'action surtout à partir des années 1970. Les anarchistes voulaient détruire tout État, les indépendantistes et séparatistes créer le leur, les nouveaux anti-impérialistes combattent pour une révolution internationale et contre la bourgeoisie. Quitte parfois à se transformer en auxiliaires de mouvements tiers-mondistes. C'est la vague européenne des années dites « de plomb » ou « de poudre ».

L'extrême gauche s'inspire parfois de l'Amérique latine. Au Brésil, Carlos Marighella théorise une « guérilla urbaine » plus efficace que le « foquisme » créant des foyers de résistance rurale à la Che Guevara ; les Tupamaros d'Uruguay, capables de défier les autorités par des enlèvements et des actions spectaculaires, font école.

Autre référence majeure, la Palestine : les détournements d'avion se banalisent après l'action du FPLP, Front populaire de libération de la Palestine, à l'aéroport de Zarka en 1970. Deux ans plus tard, la prise d'otages des Jeux olympiques de Munich, menée avec des camarades allemands, se termine en tuerie, mais offre une notoriété planétaire à la cause palestinienne.

Un autre facteur incite les éléments durs de l'extrême gauche européenne à s'armer : le fantasme d'un coup d'État fasciste. L'urgence d'une légitime défense préventive ou d'une résistance ouvrière à préparer inspire les avant-gardes autoproclamées. Il est des cas où cette démarche relève de la paranoïa : Willy Brandt n'était certes pas un Pinochet en

Aux Jeux olympiques de 1972 à Munich, un commando palestinien de Septembre noir prend en otages des athlètes israéliens. Il réclame la libération de 234 Palestiniens et d'activistes (dont Baader et Meinhof). Après des négociations ponctuées de menaces d'exécution, commando et otages sont transportés le 6 septembre en hélicoptère à l'aéroport pour prendre un avion pour l'Égypte. Éclate alors une fusillade...

puissance. En Italie, une affreuse série d'attentats anonymes, et sans doute « de droite », déclenche une riposte violente. Elle commence par les bombes de la piazza Fontana à Milan en 1969 (dix-sept morts). D'autres suivent jusqu'aux quatre-vingt-cinq morts de la gare de Bologne en 1980. Ces crimes fascistes justifient la « lutte armée ».

L'Italie est un cas extrême. Des centaines de victimes sont imputables à l'extrême gauche durant un long cycle relancé par les émeutes de 1977 qui touchent tout le pays. Il faut les comparer à la cinquantaine de morts liés à l'extrême gauche en Allemagne et au moins de dix morts dont est responsable Action directe en France. Les révolutionnaires d'encre et de poudre ont besoin d'expliquer leur réaction. Ils sont prolixes :

… La police allemande intervient maladroitement : onze otages, un policier et cinq membres du commando sont tués dans la fusillade. Les trois survivants du groupe seront libérés quand un autre commando détourne un avion de la Lufthansa un mois plus tard. Mais les Israéliens monteront l'opération Colère de Dieu pour venger Munich et tueront des commanditaires supposés jusqu'en 1991.

communiqués de revendication, publications clandestines, analyses doctrinales sophistiquées comme celles d'Ulrike Meinhof...

Tout cela reflète des nuances doctrinales : « propagande armée » et « offensive contre le cœur de l'État », résistance de partisans, autodéfense, guerre populaire ou guerre civile, mouvement politico-militaire et parti communiste armé... Beaucoup cherchent à concilier une vision de classe (voire un discours léniniste) avec le caractère individuel de l'attentat. Ils s'autoproclament représentants du prolétariat trahi par les organisations ouvrières. Si les textes de la RAF, Rote Armee Fraktion, traduisent le désespoir de voir les ouvriers soutenir la société de consommation, la bande Baader-Meinhof se réclame des révolutions du tiers-monde.

L'euroterrorisme est né : groupes italiens, Brigades rouges, Lotta Continua, Potere Operaio, RAF allemande, Action directe en France, Cellules communistes combattantes belges... Certains groupes coopèrent ponctuellement, en dépit de dissensions stratégiques. La plupart restent globalement dans l'horizon théorique du marxisme même si certains Italiens ou « spontanéistes » allemands, voire Action directe, ont une sensibilité plus autonome ou libertaire. Tous pratiquent attentats, prises d'otages, baptisées « jugements » par les « tribunaux du peuple », et hold-ups alias « reprises », pour se financer. Tout cela au risque de tuer « accidentellement » plus de prolétaires, vigiles, gardes du corps, policiers, que de patrons, ministres ou généraux.

Des dérives surviennent, la plus notoire est celle des Brigades rouges. En assassinant Aldo Moro en 1978, elles perdent la sympathie dont elles jouissaient dans des milieux intellectuels ou progressistes.

L'histoire de ces groupes croise celle d'un terrorisme international « instrumental » au service d'intérêts géopolitiques. Carlos incarne

D'inspiration communiste-anarchiste, Action directe se fait connaître dès 1979 en mitraillant la façade d'une organisation patronale. Les membres d'Action directe sont capturés d'abord en 1980, puis amnistiés par François Mitterrand. Le mouvement se divise en deux branches : nationale, spécialisée dans les attentats à la bombe, et « internationale », celle de Jean-Marc Rouillan (ci-dessus, avec Nathalie Ménigon à une fête foraine), alliée à d'autres groupes européens : elle exécute notamment le général Audran et le P-DG de Renault, Georges Besse, en 1986. Pris pour la plupart en 1987, les activistes sont aujourd'hui sortis de prison.

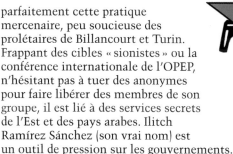

parfaitement cette pratique mercenaire, peu soucieuse des prolétaires de Billancourt et Turin. Frappant des cibles « sionistes » ou la conférence internationale de l'OPEP, n'hésitant pas à tuer des anonymes pour faire libérer des membres de son groupe, il est lié à des services secrets de l'Est et des pays arabes. Ilitch Ramírez Sánchez (son vrai nom) est un outil de pression sur les gouvernements.

De même, lorsque le Hezbollah libanais dans les années 1985-1986, ou le Groupe islamique armé (GIA) algérien en 1995-1996 tuent en France, ils pratiquent la « diplomatie par les bombes » destinée à obtenir des avantages politiques ou à régler des comptes avec leurs adversaires en exil.

### Jihad et terre sacrée

Ce mélange entre anti-impérialisme, marxisme, nationalisme arabe et antisionisme cède progressivement la place au jihadisme. Au-delà de l'islamisme, qui est une volonté de soumettre

Andreas Baader (ci-dessus), condamné une première fois pour incendie volontaire, devient célèbre lorsque la journaliste Ulrike Meinhof le libère les armes à la main en 1970. Les chefs historiques de la « bande à Baader » furent pris pour la plupart en 1972. Baader et d'autres prisonniers de la RAF moururent en 1977, officiellement par suicide.

Le 16 mars 1978, les Brigades rouges kidnappent l'ancien ministre, président de la démocratie-chrétienne (DC), partisan d'un compromis historique avec le parti communiste (PCI), Aldo Moro, alors qu'il se rend à la Chambre, et tuent ses cinq gardes du corps. Ils le gardent prisonnier dans une cache secrète qu'ils nomment « prison du peuple », l'obligeant à écrire à la presse (et même au pape) pour soutenir leur revendication, la libération de nombreux camarades. Les négociations échouent dans des circonstances mal connues et, au bout de cinquante-cinq jours, ses geôliers l'exécutent d'une rafale. Son cadavre est retrouvé dans le coffre d'une voiture à l'endroit indiqué par téléphone, à mi-chemin des sièges de la DC et du PCI (ci-contre). L'assassinat de Moro marque la rupture entre les brigadistes et une grande partie de leurs soutiens à gauche, surtout chez les intellectuels. Ainsi, dans une « Lettre ouverte aux Brigades rouges », Elsa Morante leur reproche de suivre un modèle « qui a détruit les "révolutions" les plus sombres de notre siècle et qui se fonde sur un trait de base : le mépris le plus complet de la personne humaine ».

La bombe de la gare de Bologne tua quatre-vingt-cinq personnes au hasard le 2 août 1980 (ci-contre). Cette tuerie faisait suite à une série de bombes, inaugurée en 1969 piazza Fontana et souvent baptisée *strage di stato* («massacres d'État»), et attribuée à une «stratégie de la tension». Celle-ci aurait été menée par les services secrets afin de favoriser l'avènement d'un régime autoritaire conservateur. Après des années d'enquêtes, deux extrémistes néonazis comme simples exécutants, et, comme instigateurs, le chef de la loge maçonnique P2 et des agents des services secrets ont été condamnés définitivement pour l'affaire de Bologne. Ce qui en fait une exception parmi les attentats mystérieux. Sur les 378 morts officiels du terrorisme italien, 128 semblent devoir être attribués à l'extrême gauche et les autres, la majorité, ont officiellement un auteur inconnu. Les théories cherchant à expliquer le *strage* sont si nombreuses que les Italiens ont forgé le nom commun «diétrisme» (les thèses sur le complot qui s'est tramé «derrière» (*dietro*) les attentats).

Hassan al-Banna, né en 1906, est le fondateur en 1928 des Frères musulmans d'Égypte. La confrérie panislamiste a essaimé dans le reste du monde arabe. Il est tué en 1949, sans doute en représailles de l'assassinat du chef du gouvernement par les Frères.

les pouvoirs politiques à la loi coranique, le jihadisme développe une théologie délirante de la violence mimétique et de la légitime défense. Ses partisans interprètent à leur façon la prescription de la « guerre sainte », à rebours du sens noble du mot *jihad* (« effort spirituel »), et prétendent qu'ils ne font que défendre la terre d'Islam contre des envahisseurs. Tout territoire rattaché au califat avant 1254, date de la prise de Bagdad par les Mongols, serait à reconquérir sur l'agresseur, juif et croisé. Leur champ de bataille couvre tout pays où des musulmans seraient opprimés, puis s'étend au cœur du dispositif ennemi (les États-Unis). Donc de fait à la terre entière. Le jihadisme est à la fois enraciné – il se réfère à la terre d'Islam et s'allie à des insurrections locales comme en Afghanistan – et mondialisé ; il trouve partout des cibles et des symboles de la persécution.

    Le recours aux bombes et aux kamikazes naît dans le camp chiite, puis devient une manifestation monstrueuse du sunnisme salafiste le plus dur. Ce mouvement remonte aux Frères musulmans, de Hassan al-Banna, créés en 1928 et aux textes de Sayyid Qotb pendu en 1966 sous Nasser. Il monte en puissance dans les années 1980-1990, lors des luttes en Afghanistan, Bosnie, Tchétchénie, etc., avec des brigades internationales de moudjahidin. Les noms sont éloquents : « Communauté

Ilich Ramírez Sánchez (alias Carlos) est la figure la plus emblématique du terrorisme international d'extrême gauche. Il est notamment responsable de la prise d'otages de onze ministres des pays exportateurs de pétrole à Vienne en 1975, et d'attentats en France, de 1974 (bombes et grenades du drugstore Publicis à Paris) à 1983 (cinq morts par explosifs gare Saint-Charles à Marseille). Il est incarcéré en France depuis 2002.

islamique » (Jeemah Islamiya indonésienne), Jamaa
Islamiya égyptienne ou son concurrent Talaëh
al-Fatah (Avant-garde de la conquête), Armée
islamique du salut algérienne (origine du Groupe
islamiste armé [GIA]), puis du Groupe salafiste
de prédication et de combat, devenu finalement
Organisation Al-Qaïda pour le pays du Maghreb
islamique ([AQMI] par allégeance à l'« émir » ben
Laden), Groupe islamiste combattant marocain…

La « résistance islamique globale » théorisée par
al-Suri, la « lutte contre l'ennemi lointain » d'al-
Zawahiri, et la rhétorique de ben Laden, forment
la ligne doctrinale du réseau
qui a fini par s'appeler
Al-Qaïda (« la base »). Ce
nom fut pourtant choisi par
un juge new-yorkais qui voulait
désigner les responsables des attaques
au camion piégé en 1993 contre
le World Trade Center.
L'apparente cohérence
d'Al-Qaïda en principe
divisée en cinq
« émirats », recouvre
de fait des groupes
locaux plus ou moins « franchisés », ou réunis
sous la désignation vague de « proche d'Al-Qaïda »,
du groupuscule aux quasi-armées de talibans.

mirez-Sanchez, Ilich
0. 19:9 Caracas/Venezuela
:name: ..Carlos''
iquet: ..Carlos''
name: ''Carlos''
Jo: ..Carlos''

ـي رامبيرز ــ سَـانـشِـز
كـاراكاس ( فــنــز ويــلا ) بتاريخ ٢
بلـقـب ٠ كـار لـوس ٠

Oussama ben Laden,
né en 1957, se fait
connaître en
Afghanistan dans la
lutte contre les
Soviétiques. Il gagne
en réputation à l'ombre
de son mentor, le
Palestinien Abdallah
Youcef Azzam. Lors
de la première guerre
du Golfe en 1991,
désireux de combattre
l'envahisseur « athée »
Saddam Hussein, il se
tourne contre les
Saoudiens coupables à
ses yeux de laisser des
troupes américaines
souiller le sol sacré de
son pays. Il commence
par organiser des
attentats antiaméricains
en Arabie en 1995 et
1996, puis l'attaque au
véhicule piégé contre les
ambassades américaines
de Tanzanie et du Kenya
en 1998. Il fonde le
« Front islamique
mondial pour le jihad
contre les Juifs et les
Croisés » (un nom plus
exact que « Al-Qaïda »).
Après l'attentat contre
le navire de guerre USS
Cole en 2000, attaque
par mer, suivra la grande
attaque par les airs du
11-Septembre qui fait
de lui l'homme le plus
recherché de la planète.
Il fuit l'Afghanistan et
se manifeste par des
apparitions médiatiques
de plus en plus rares.
Il est abattu au Pakistan
en mai 2011.

Al-Qaïda, après le 11 septembre 2001, accède à l'honneur suprême : être nommée ennemi principal de l'hyperpuissance américaine pour une « guerre globale au terrorisme », qui suscite de « vraies guerres » en Afghanistan comme en Irak.

Très significativement, en 2009, l'administration Obama hésite entre une stratégie de « contre-terrorisme » en Afghanistan, préconisée par le vice-président Biden, et la « contre-insurrection » chère au général Petraeus. Les États-Unis choisissent la seconde, ce qui implique l'envoi d'environ cinquante mille nouveaux soldats sur place, tout en rebaptisant la guerre au terrorisme « lutte contre l'extrémisme violent ».

### Toutes les causes, toutes les terreurs

Terrorisme anarchiste, d'État, international, d'extrême gauche ou d'extrême droite, séparatiste,

L'attentat d'Oklahoma City en 1995 (ci-dessus) fut, avec 168 morts, le plus meurtrier avant le 11 septembre 2001. Pour ses auteurs, McVeigh et Nichols, arrêtés dans l'heure, il était censé venger le massacre de Waco. En 1993, le FBI y avait assiégé la secte des davidiens pendant 51 jours au terme desquels 82 personnes périrent dans un incendie. McVeigh, exécuté en 2001, était membre d'une des milices obsédées par le « survivalisme » et le complot gouvernemental.

internationaliste, jihadiste, la liste est-elle close ? Non, puisqu'il existe aussi des terrorismes d'inspiration religieuse non islamistes. Ils peuvent se réclamer de l'hindouisme, de la religion sikh, de croyances syncrétiques comme l'Armée de libération du Seigneur en Ouganda. Voire des sectes apocalyptiques dont la plus célèbre est Aum au Japon.

Il existe également des terrorismes dits « à cause unique » : défense des animaux (on dit aussi « antispéciste »), contre l'avortement, pour des thèmes écologiques ou refus de la technologie. Des experts parlent de terrorismes « expressifs » dont le but serait de faire connaître une revendication ou une identité, ou encore de « terrorisme sociétal » : quand un « Acquabomber » italien empoisonne des bouteilles d'eau minérale ou quand un Français isolé fait sauter des radars routiers au nom de mythiques « fractions » armées.

La secte Aum Shinrikyo (Vérité suprême d'Aum) fut créée en 1984 par le gourou Shoko Asahara (ci-dessous), presque aveugle, qui prédit l'Apocalypse et mélange prophéties de Nostradamus et grandes religions. En 1995, la secte, déjà responsable d'autres attentats et qui étudie les armes biologiques et chimiques, se rend célèbre par un attentat au gaz sarin dans le métro de Tokyo qui fait douze morts. Le gourou, condamné à mort en 2003, attend toujours la révision de son procès.

Il existe des milices « suprématistes blanches », « survivalistes » ou « patriotiques », comme les auteurs de l'attentat d'Oklahoma City en 1993 pour venger la secte des davidiens tués après un siège par le FBI ; des groupes criminels (dont la mafia italienne à qui il est arrivé d'imiter les méthodes du terrorisme politique pour envoyer un message au gouvernement) ou hybrides entre crime organisé et guérilla (comme les narcotrafiquants des FARC colombiennes)…

De nombreuses causes connaissent la tentation du terrorisme, et pour sa facilité technique, et pour son écho médiatique. Plus la guerre classique interétatique se raréfie, plus l'attentat se banalise, comme les violences asymétriques, guérillas, insurrections et opérations sanglantes d'organisations secrètes. Oscillant entre « propagande par le fait » et « guerre du pauvre », expression et action, le terrorisme n'a pas fini de faire des adeptes.

« Enfin, nous disons ceci au peuple américain : étant donné que vous soutenez votre gouvernement dans ses crimes contre nos femmes et nos enfants, sachez que nous répondrons par la mort. Nous vous avons préparé des hommes qui aiment la mort autant que vous aimez la vie. Et si Dieu le veut, nous vous surprendrons : vous serez tués ainsi que vous tuez, l'avenir le montrera. »

Al-Qaïda pour la Péninsule arabique

## CHAPITRE 2
# MODES D'ACTION

Une semaine après le 11 septembre 2001 (page de gauche, les Twin Towers en feu), des enveloppes contenant de la poudre d'anthrax (bacille qui donne la maladie du charbon) sont adressées à des médias ou à des sénateurs. Cette attaque « bioterroriste » causera la mort de cinq personnes aux États-Unis.

Faut-il tuer pour être terroriste ? Pour le moins, il faut en assumer le risque, en agiter la menace, et, à titre de combattant et libérateur, se croire en droit de le faire un jour. Comme le juge et le soldat, deux figures auxquelles il se réfère souvent, le terroriste pose la question de la victime « juste ». Pour lui, la cible représente l'idée visée. Soit parce que la victime exerce une responsabilité ou une autorité, soit, au contraire, parce qu'elle est anonyme, et que cela montre que personne n'est à l'abri ; dans tous les cas, elle sert de vecteur à un message.

« Le pistolet est de gauche, la bombe de droite », disait-on en Italie dans les années 1970, pour opposer ceux qui tuaient, enlevaient ou « jambisaient » les « complices de la bourgeoisie » (catégorie assez vaste pour inclure des syndicalistes ou des journalistes) et les responsables supposés des « massacres d'État ». Les seconds tuaient au hasard dans les gares, les transports et les lieux publics. Leur but présumé : forcer le système à durcir la répression, en attribuant ces crimes à « la subversion ».

Pourtant, dès les années 1900, la logique du terrorisme tend à reculer la frontière entre « complices » et innocents. Outre la dérive criminelle menaçant ceux qui s'arment, se financent et vivent clandestinement, trois facteurs jouent en ce sens :

– Il est moins risqué d'atteindre des cibles « molles » que les autorités qui se protègent.

– Il est tentant d'élargir la catégorie des représentants du système à ceux qui le tolèrent passivement. Le « personne n'est innocent » se décline en termes de luttes des classes, de pureté patriotique, ou, pour les jihadistes, d'ennemi « licite ». Chez ces derniers, de pseudo-théologiens qualifient ainsi un bébé dans le ventre de sa mère israélienne ou un villageois algérien qui n'aide pas le jihad. Ou encore, ils expliquent qu'il est permis de tuer tous les chrétiens irakiens pour des fautes supposées de prêtres coptes d'Égypte.

– La « triste nécessité » ou le « risque inévitable » des dommages collatéraux, en vertu du principe : « On ne fait pas d'omelette sans casser d'œufs. »

En novembre 2008, dix militants islamistes du Lashkat-e-Taiba basé au Pakistan attaquent hôtels et lieux publics de Bombay, dont la gare centrale, tuant 175 personnes parmi lesquels des touristes. Un seul membre de ce commando très entraîné a survécu.

## Vie et liberté

Donner la mort implique de pouvoir la recevoir. Le courage face à la mort n'est pas rare chez les terroristes. Avant la dynamite, à l'époque du couteau ou du pistolet, le risque d'être tué au moment de l'attentat était énorme. Après, ceux qui sont pris et condamnés marchent souvent fièrement au supplice. Certains réclament la mort comme honneur suprême à la façon des *narodniki*.

Même si les médias le disent peu, l'Inde est un des pays qui souffrent le plus du terrorisme : islamiste (encouragé par le Pakistan et lié à la question du Cachemire), séparatiste, sikh, communiste dit « naxalite », maoïste, tamoul, etc., soit huit cents cellules connues.

Quant à l'attentat suicide au sens propre
– utilisation de son corps pour déclencher des
explosifs là où ils feront le plus grand ravage –, les
exemples n'en sont pas rares, même hors du monde
islamique : volontaires de l'Irgoun sioniste avant
la création d'Israël, Japonais propalestiniens de
l'Armée rouge en 1972, Tigres tamouls dès 1987,
tous se font sauter sans hésiter...

L'activiste peut aussi faire arme de sa souffrance.
Les prisonniers continuent d'utiliser les moyens
d'expression que leur laisse la justice ennemie.
Ainsi, les spectaculaires grèves de la faim de
membres de la RAF à la prison de Stanheim
de 1974 à 1977, destinées à obtenir le statut de
prisonniers de guerre et à mobiliser l'opinion
internationale sur leurs conditions de détention
et d'isolement. Parallèlement, des camarades
préparaient des prises d'otages pour leur libération.
À considérer la chose cyniquement, le suicide
collectif de la « bande à Baader » a nourri des
accusations de meurtre
camouflé contre les
autorités ouest-
allemandes et donc
servi leur cause *post
mortem*.

## L'effroyable chaos

Indescriptible
confusion
à Beslan,
en Ossétie
du Nord

Prêt à tuer ou à
mourir, le terroriste se
donne aussi le droit de
faire des prisonniers. Cette pratique
prend deux formes : la prise d'otages
– menacer un adversaire ou un
passant pour retarder l'assaut de la
police, obtenir la libération d'un
camarade, un moyen de fuir... – et
la séquestration d'un « prisonnier »
pour « jugement ». Les deux se
mêlent souvent et le « coupable »
peut être à la fois monnaie d'échange
et accusé.

Il n'y a pratiquement personne qui
ne puisse servir d'otage, pourvu que
son gouvernement réagisse et que les

Al-Qaïda pour le Maghreb islamique (AQMI, ex-Groupe salafiste pour la prédication et le combat [GSPC] d'Algérie rallié à Al-Qaïda en 2007) se finance, outre le trafic d'armes et de drogue, par des prises d'otages occidentaux, espagnols (ci-contre) ou français. Ce « commerce » (cinquante otages depuis 2002, la plupart libérés contre de grosses sommes) renforce AQMI. Peu affectée stratégiquement par la mort de ben Laden, elle menace la France qui interdit le voile et reste en Afghanistan.

Presque deux ans après la prise d'otages dans un théâtre de Moscou en octobre 2002 qui vit la mort de 39 terroristes et de 139 otages, des indépendantistes tchétchènes s'emparent d'une école de Beslan (Ossétie-du-Sud) le 1er septembre 2004. Ils menacent la vie de mille cent personnes. Au troisième jour, la police donne l'assaut : 31 preneurs d'otages, 331 civils, 19 policiers ou militaires meurent dans cette opération que revendique le chef islamiste Chamil Bassaïev. Comme en 2002, la brutalité des forces de l'ordre russes a été très critiquée.

médias s'intéressent à l'affaire. Les exemples sont éloquents : athlètes aux Jeux olympiques en 1972 (opération menée par Septembre noir), dirigeants de l'OPEP (commando dirigé par Carlos en 1975), diplomates et journalistes occidentaux, certains séquestrés des mois (Hezbollah au Liban de 1985 à 1991), neuf cents spectateurs d'un théâtre moscovite en 2002 puis des enfants à Beslan en 2004 (séparatistes tchétchènes), touristes dans des hôtels de Bombay en 2008 (islamistes venus du Pakistan) avec 173 morts au total, membres d'ONG ou employés de sociétés occidentales (à peu près partout dans les zones « grises » d'insurrections ou parallèlement à des conflits, de l'Irak au Niger)... En Amérique latine, au Proche-Orient ou dans le Sahel, les otages passant des années en captivité ne sont pas rares.

### La liberté des autres

Le détournement d'avion, forme
la plus spectaculaire de la prise
d'otages, fut inventé en 1931 par
des révolutionnaires péruviens,
puis largement pratiqué à la fin
des années 1960 (cent vingt
détournements vers Cuba) et
devenu la spécialité des groupes
propalestiniens. La prise de trois
avions le même jour de 1970 et leur
destruction dans le désert jordanien
sont à l'origine de la répression
des camps palestiniens lors du
« Septembre noir ».

Les forces de sécurité libèrent
parfois les passagers, comme les
Israéliens à Entebbe en Ouganda en
1976, et les Allemands à Mogadiscio en 1977,
contrant chaque fois des opérations conjointes de
Palestiniens et de militants allemands. Ou encore
les policiers français abattant un commando
algérien du GIA à l'aéroport de Marseille en 1994.

L'enlèvement « judiciaire » prétend punir un
coupable pour ce qu'il a fait. Les « prisons du
peuple » des Tupamaros uruguayens, du M-19
(Mouvement du 19-Avril) colombien, ou des FARC,
Forces armées révolutionnaires colombiennes,
incarnent cette tradition latino-américaine. L'idée
est de s'emparer d'un juge, d'un patron, d'un
responsable de la répression – comme Dan Mitrione
de la CIA enlevé et exécuté par les Tupamaros en
Uruguay en 1970 – et de le garder dans une cache
secrète pour défier l'État. Trente ou quarante ans
plus tard, les FARC prendront l'habitude de capturer
à peu près n'importe qui et de le garder dans la
jungle pour demander une rançon.

En Europe, l'exemple tupamaro inspire assez tôt
les maoïstes français ; ils enlèvent le député Grailly
en 1970, séquestrent l'ingénieur Nogrette, cadre de
Renault en 1972, finissent presque par sympathiser
avec lui, le libèrent, et ne persévèrent pas dans cette

pratique. En Italie, l'enlèvement se répand pour financer le mouvement, ou pour faire avouer des crimes contre le peuple devant un tribunal révolutionnaire. Le processus commence en 1970 par l'enlèvement de Sergio Gadolla, fils d'industriels génois par le mouvement XXII Ottobre (jour de sa fondation en 1969) ; il se poursuit par des kidnappings de juges, industriels, gardiens de prison, dont beaucoup par les Brigades rouges. Trois de leurs enlèvements font date : le juge Sossi en 1974 – le « détenu Sossi » est jugé et doit se livrer à des confessions sur fond de banderoles et de slogans, envoyées à la presse –, Aldo Moro fin 1977 – le chef de la démocratie-chrétienne séquestré cinquante-cinq jours à Rome, soumis à interrogatoire et finalement abattu – et enfin le général Dozier de l'OTAN. Ce dernier est libéré par les forces spéciales au début de 1982, ce qui marque aussi le déclin des Brigades rouges.

Les détournements d'avion se multiplient à partir des années 1960 (à gauche, au Liban en 1972). Ci-dessous, en 1994, le GIGN, unité antiterroriste, donne l'assaut à l'Airbus A-300 venant d'Alger où trois otages ont été tués et qui est bloqué à l'aéroport de Marseille. Les pirates, membres du Groupe islamique armé, qui voulaient sans doute précipiter l'avion sur Paris, sont tous tués. Les passagers sont sains et saufs.

Le 18 avril 1983, une camionnette piégée, conduite par un kamikaze, avec sans doute plus de 900 kilos d'explosifs, détruit l'ambassade américaine à Beyrouth (ci-contre). L'attentat, qui tue soixante-trois personnes, est revendiqué par l'organisation du Jihad islamique, proche du Hezbollah chiite. Il précède ceux du 23 octobre 1983 contre des Marines américains et des paras français, attentats qui finiront par chasser les troupes étrangères du Liban. Les jihadistes en retiendront que les Occidentaux sont des « tigres en papier » qui s'enfuient dès qu'ils ont des morts.

En Allemagne, les dates phares sont, en 1975, l'enlèvement du candidat chrétien-démocrate à la mairie de Berlin-Ouest, Peter Lorenz, échangé contre des détenus proches de la RAF, et surtout celui de Hanns Martin Schleyer, responsable d'organisations patronales (et au lourd passé national-socialiste). Il est détenu quarante-trois jours, puis exécuté dans un crescendo dramatique tandis que des commandos détournent en vain des avions sur Mogadiscio, pour obtenir la libération du groupe Baader-Meinhof.

### Balistique et logistique

L'organisation terroriste s'en prend aussi aux choses : véhicules, moyens de communication, monuments ou bâtiments. Elle le fait à la fois pour prouver sa capacité militaire et pour atteindre les marques les plus visibles de la présence adverse.

Avec ou sans mort d'homme, ces destructions par incendie, par mitraillage, mais surtout par bombe, demandent des moyens non négligeables.

Il faut de grandes quantités d'explosifs pour des dégâts considérables. Lors de l'attentat contre le ministre de Franco, Carrero Blanco, ou du meurtre du général della Chiesa par la Mafia, des galeries ont été creusées pour placer les explosifs capables de détruire un convoi de voitures. L'attentat mené par des miliciens d'extrême droite américains en 1995 à Oklahoma City témoigne d'une escalade des moyens et des résultats : treize barils de 230 kilos d'engrais, de nitrométhane, ammonitrate et autres composants, plus 160 kilos de Tovek pour amorcer. Résultat : 168 morts et 324 bâtiments détruits ou endommagés.

Conduits par un kamikaze, voitures ou camions portent des masses d'explosifs au plus près de leur cible. Le 23 octobre 1983 à Beyrouth, le Jihad islamique en utilise cinq tonnes contre un immeuble de l'aéroport abritant des militaires américains (241 morts), et quelques minutes plus tard, fait exploser l'immeuble du Drakkar, tuant cette fois 58 militaires français. Depuis, des groupes proches d'Al-Qaïda ont repris la méthode du camion

Le 11 mars 2004, des bombes déclenchées par téléphone dans des trains de banlieue de Madrid tuent près de deux cents personnes. Les attentats furent d'abord attribués à l'ETA par le

**EL PAIS**

VIERNES 12 DE MARZO DE 2004  DIARIO INDEPENDIENTE DE LA MAÑANA  EDICIÓN MADRID
Año XXIX. Número 9.781  www.elpais.es  Precio 1 euro

## Infierno terrorista en Madrid: 192 muertos y 1.400 heridos

**Interior investiga la pista de Al Qaeda sin descartar a ETA**

gouvernement de José María Aznar à quelques jours des élections législatives. Très vite, la piste islamiste s'imposa. Sept jihadistes repérés par la police se firent sauter au cours d'un siège. La victoire surprise des socialistes et le retrait des troupes espagnoles d'Irak (prévu dans leur programme) en furent les conséquences.

(y compris pour l'attaque en 1993 contre les tours jumelles de New York). Des bateaux servent aussi lors d'attaques contre l'*USS Cole* à Aden en 2000.

Le détournement des avions du 11 septembre 2001 et l'idée d'en utiliser trois comme projectiles contre les Twin Towers ou le Pentagone est une innovation technique : frapper sur terre, sur mer, mais aussi depuis l'air. L'équation kamikaze plus explosif plus véhicule explique en partie pourquoi, depuis une décennie, les attentats passant la barre symbolique des cent victimes sont de plus en plus fréquents.

La sophistication des contrôles de sécurité stimule l'ingéniosité des candidats au suicide pour approcher une personnalité ou détruire un avion : explosifs dissimulés dans des caméras, des chaussures, des caleçons, voire ingurgités quand ils n'entourent pas le ventre d'une fausse femme enceinte. Outre les colis piégés, les simples EEI, « engins explosifs improvisés », certains de type « *pipe bomb* », bricolés dans un tuyau, sont fréquents. D'abord utilisés en Irlande et au Pays basque, ils sont maintenant devenus une des pires craintes des soldats en Irak ou en Afghanistan. Que l'on puisse facilement apprendre à en fabriquer, y compris sur des sites Web ou chez des éditeurs américains, et se procurer le matériel n'est pas le moindre de leurs attraits. Mais le taux d'échec n'est pas négligeable : pour exemple,

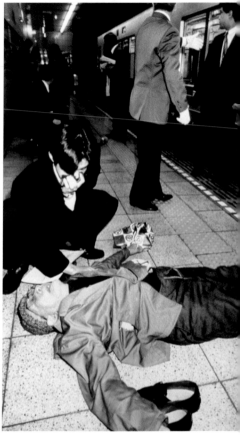

Le 20 mars 1995, des membres de la secte Aum Shinrikyo lâchent du gaz sarin dans le métro de Tokyo et tuent douze personnes (ci-dessus). Le groupe s'essayait au bioterrorisme depuis 1990 et menait des recherches sur les virus et produits radioactifs et chimiques.

l'islamiste américain Shahzad manquant son attentat à la voiture piégée à Time Square le 1er mai 2010.

En théorie, le pire pourrait advenir avec le terrorisme dit NRBC (nucléaire, radiologique, biologique ou chimique). Les scénarios sont connus : des désespérés se procurent une vraie bombe atomique « sale » ou s'attaquent à une centrale. Mais ils sont restés à l'état de projets. Pourtant, l'opinion a été marquée par l'attentat au gaz sarin de la secte Aum à Tokyo ou, la même année, celui de Moscou (32 kilos de césium découverts dans un parc), ou par les lettres à l'anthrax aux États-Unis en 2001. Sans oublier José Padilla, jihadiste américain arrêté en 2002, qui planifiait un attentat avec une bombe radiologique, ou quelques empoisonnements de fruits, de bouteilles d'eau, etc. Ces tentatives ont fait des exercices contre les attaques NRBC le cœur des programmes de sécurité civile.

Le cyberterrorisme suscite ses propres fantasmes. L'évocation du « Pearl Harbour informatique » ou du « Cybergeddon » (l'Armageddon cybernétique) tient une vaste place dans le discours sur la sécurité intérieure américaine. Certes, les groupes islamistes utilisent bien Internet pour communiquer secrètement, s'exprimer publiquement, pour recruter ou former de nouveaux membres.

Le jeune Nigérian Farouk Abdulmuttalab (ci-dessous) gagne le surnom de « terroriste aux sous-vêtements » en tentant de déclencher un explosif au plastic dissimulé dans son slip sur le vol Amsterdam-Detroit, le 25 décembre 2009. Ce solitaire – sans doute radicalisé par des contacts au Yémen mais aussi familier des forums sur Internet – est typique d'une nouvelle génération de terroristes passant à l'acte de façon imprévisible.

Les alertes aux lettres piégées déclenchent des contrôles qui compliquent la vie quotidienne et frappent l'imagination du public (ci-contre, vérification de courrier suspecté de contenir de l'anthrax au journal *Bild Zeitung* de Francfort quelques semaines après le 11-Septembre).

Mais il n'y a pas eu pour le moment de cyberattentat capable de perturber par ordinateur interposé le contrôle d'une « infrastructure vitale », régulation du trafic aérien, de l'eau, des services d'urgence, etc., ni de morts à la suite d'un cyberattentat. Les attaques menées par Internet contre des systèmes d'État restent anonymes : ainsi en Estonie en 2007 ou la supposée attaque par virus des capacités nucléaires iraniennes en 2010 par le virus Stuxnet. Au mieux, des indices pointent vers des services gouvernementaux, ou vers des pirates-mercenaires vendant au plus offrant leur force de nuisance cybernétique. À ce stade, le cyberattentat de grande envergure semble aussi difficile à réaliser qu'à attribuer.

### S'organiser

Sauf pour quelques anarchistes en 1900 ou pour Unabomber, le solitaire qui envoyait des lettres piégées de 1978 à 1995 pour défendre la cause écologique, le terrorisme est une activité de groupe : c'est un métier qui s'organise, s'apprend, demande

Les fedayin de l'OLP, Organisation de libération de la Palestine (ci-dessus, en 1968), en *battle-dress* et le visage dissimulé par leur keffieh se préparant à combattre les Israéliens : une image typique des années 1960 à 1980 qui frappe l'opinion internationale. L'OLP, réunissant le Fatah, le Front populaire et le Front démocratique de libération de la Palestine, qualifiée de terroriste par les États-Unis, se considérait comme un groupe de résistance armée, doté d'une représentation politique et ne recourant à l'attentat que par nécessité.

budget et logistique… Les organisations sont confrontées à des impératifs constants : efficacité militaire, cohérence idéologique, volontariat, mais aussi, secret et publicité ; cela suppose une structure bien particulière. Elle varie, entre le modèle de la société occulte ou du groupe de conspirateurs et celle de l'armée (clandestine).

« Un révolutionnaire est un homme perdu », écrivait Netchaïev au début de son *Catéchisme du révolutionnaire*. De fait, les premiers populistes russes faisaient serment d'obéir jusqu'au bout. Des groupuscules sont formés par une poignée de camarades qui se connaissent ; souvent ils sont issus du même milieu intellectuel ou de la même scission. Certains, comme la « bande Baader-Meinhof », passent des heures en discussions doctrinales pour s'assurer que leur structure n'est ni hiérarchique, ni machiste et bien conforme à leurs valeurs. Ces communautés très soudées, et appelées à partager une vie clandestine peuvent aussi se déchirer. L'Armée rouge japonaise, née en 1971 et dont les derniers membres n'ont été pris qu'en 2001, connut la plus grave de ces dérives : sur les trente meurtres qu'elle commit, quatorze furent des exécutions internes de traîtres ou révisionnistes. Certains pour des délits aussi graves que le port de boucles d'oreilles ou l'usage du tabac.

Kozo Okamoto et Kasua Tohira étaient membres de l'Armée rouge japonaise, groupe gauchiste menant des actions avec le Front populaire de libération de la Palestine. Le premier, déjà impliqué dans l'attaque de l'aéroport israélien de Lod en 1972, a été emprisonné en Israël jusqu'à ce qu'il soit libéré lors d'un échange de prisonniers entre Palestiniens et Israéliens en 1985. Tohira et lui, réfugiés au Liban y furent emprisonnés en 2000 pour une affaire de faux passeports et s'y convertirent à l'islam (ci-contre).

L'organisation peut adopter un mode quasi bureaucratique, et pour quelques minutes d'action, assurer des mois de gestion, communication, approvisionnement, logement de son « personnel »… Sans compter le financement au quotidien plus coûteux que les attentats mêmes : faux papiers, planques (ou sanctuaire dans un pays ami), transports, et autres nécessités, plus l'aide de cercles de militants et de sympathisants.

L'ETA, l'IRA (ou du moins certaines de leurs branches) et quelques autres adoptent volontiers un modèle paramilitaire, des commandos de terrain jusqu'à la direction politique, sans oublier les liaisons avec l'indispensable « façade légale », parti ami qui se présente aux élections et formule les revendications politiques. D'autres branches sont chargées du financement par l'impôt révolutionnaire ou cherchent des subventions auprès des amis ou compatriotes (même en exil).

Le Hamas, outre ses brigades vouées au combat ou à l'attentat suicide, gère aussi un parti politique, des ONG jouant un rôle social et caritatif important

Des membres des forces de sécurité du Hamas défilent lors d'une cérémonie en 2010 (ci-dessus). Ils cumulent tous les signes censés caractériser les troupes d'élite régulières : uniformes, peinture de camouflage, déplacement au pas de course, cris de guerre… Considérés par les uns comme un simple groupe terroriste, le Hamas (« ferveur », idéologiquement proche des Frères musulmans), s'il commet bien des attentats, est aussi un parti politique populaire, une organisation paramilitaire et une structure caritative…

dans la bande de Gaza, plus un véritable ministère de la Propagande. Ces différentes institutions font que la plupart de ses membres agissent au grand jour et jouissent d'une popularité dans leur milieu.

Tout mouvement qui recourt à l'attentat se situe donc quelque part entre une structure hiérarchique, avec d'éventuelles spécialisations, voire une certaine séparation du politique et du militaire, et un système de cellules entretenant entre elles le minimum de contacts nécessaires à l'action. Un compromis entre pyramide et réseau s'impose souvent.

Les appellations aux consonances les plus militaires ne sont pas forcément celles des organisations les plus droitières. Dans l'Italie des années 1970, Prima Linea se divisait en « groupes de feu » et « patrouilles » sous la direction d'un exécutif national, tout en professant une idéologie proche de l'autonomie. Inversement, l'OAS, Organisation armée secrète, bien que fondée en partie par des militaires et par référence à l'Armée secrète de la Résistance, a la réputation de n'avoir été ni très

Les FARC colombiennes mènent des opérations de guerre irrégulière, occupant des zones de jungle, harcelant les forces armées et attaquant les voies de circulation. Mais ils sont surtout connus pour leurs liens avec le trafic de drogue et par le nombre d'otages comme Ingrid Betancourt qu'ils utilisent pour exiger des rançons ou des concessions politiques. Il serait plus exact de les qualifier de narcoguérilleros que de terroristes au sens strict.

organisée, ni très bien armée, ni très secrète en dépit d'un organigramme compliqué. Et le slogan de la « résistance sans leaders », qui peut déboucher sur des actions terroristes spontanées, est commun à des groupes de défense des animaux (comme l'Animals Rights Militia), à des néonazis aux États-Unis et au jihad sans chefs qui se développe depuis peu.

S'il est une organisation dont le fonctionnement suscite des controverses, c'est bien Al-Qaïda. Son modèle global en réseau est décrit comme un syndrome de la mondialisation et son mode d'affiliation comparé à une franchise commerciale. Le « jihad international contre les Juifs et les Croisés » (son vrai nom avant l'appellation d'Al-Qaïda chère aux médias occidentaux) regroupe plusieurs composantes. Il y a un cercle rapproché auprès de l'émir ben Laden avant sa mort et de l'idéologue al-Zawahiri, mais surtout une pluralité de groupes autonomes. Ils sont rattachés à l'entité Al-Qaïda par des liens de coopération plus que de subordination voire par une « allégeance » purement

Abdelmalek Droukdel, émir d'AQMI, photographié lors d'un entraînement en Algérie en 2008 (ci-dessous). Cette organisation, qui a pris la suite du GIA et du GSPC algériens mais rayonne dans d'autres pays proches, est responsable d'attentats suicides qui ont fait plusieurs dizaines de morts à Alger ou Lakhdaria en 2007 et a des maquis à l'est d'Alger et en Kabylie. Comme le GIA, Droukdel considère le gouvernement algérien et ses « complices » (pratiquement tous ceux qui ne sont pas jihadistes) comme apostats, donc méritant la mort.

formelle. Al-Qaïda joue comme slogan, ralliement ou marque d'une solidarité. L'étiquette (ou la désignation de « proche de ») vaut pour des bandes parcourant le Sahel en pick-up comme Al-Qaïda pour le Maghreb islamique, pour une armée de peut-être trente-cinq mille hommes, le TTP (Tehrik-e-Taliban Pakistan, Mouvement taliban du Pakistan), responsable de trois mille morts, mais elle peut aussi se référer à des « loups solitaires ». Ce peuvent être des *homegrown terrorists*, *Jihad Jane* et autres, moudjahidin « domestiques » à vocation tardive, à passeport occidental et certainement sans contact avec ben Laden, mais qui décident de passer à l'acte, seuls, ou avec un groupe d'amis. Ils sont décrits comme « autoradicalisés », terme qui ne fait qu'exprimer combien il est difficile de comprendre le basculement de ces atypiques. Et preuve qu'une organisation en réseaux peut finir par ressembler à une structure aléatoire.

AQMI s'est étendue d'Algérie au Sénégal, Mali, Niger, et en Mauritanie et s'est ainsi dotée dans les régions désertiques d'une branche sahélienne. L'organisation s'est fait connaître en France par l'exécution de l'humanitaire Michel Germaneau. Elle a enlevé sept personnes au Niger (dont cinq Français) en septembre 2010. Ci-dessus, camp d'entraînement de membres d'AQMI au Mali en 2010.

Terrifier l'adversaire pour le paralyser fait partie d'une stratégie militaire immémoriale. Transformer l'action en proclamation, faire mourir pour faire savoir constitue la politique du terrorisme. Selon Raymond Aron, il cherche à produire des « effets psychologiques hors de proportion avec les effets militaires ». L'expert américain Brian Jenkins déclare que le terrorisme « ne veut pas que beaucoup de gens meurent, mais que beaucoup de gens regardent ». Pour Régis Debray, c'est un « spectacle ».

**CHAPITRE 3**
# DISCOURS

Le martyr qu'il faut commémorer et le héros qu'il faut imiter tiennent une large place dans l'imaginaire jihadiste. Même si cela nous choque, la photo du kamikaze tenue par son successeur éventuel ou ben Laden peint aux côtés du Che symbolisent pour leurs partisans le souvenir des justes à venger.

**Action et proclamation**

En 1881, un des premiers attentats à la bombe détruit la statue de Thiers, le fusilleur de la Commune. La déflagration est accompagnée d'une déclaration écrite : « Par cette attaque contre un mort, nous avons donné un avertissement aux vivants. » Cent vingt ans plus tard, ben Laden, dans un tout autre contexte, déclare à propos des kamikazes du 11-Septembre qu'ils « ont proféré, par leurs actes à New York et Washington, des discours plus puissants que tous les autres discours prononcés de par le monde ». L'acte terroriste a donc valeur rhétorique. Ce qu'il « communique » est plus qu'une peur ou une menace destinées à faire céder un gouvernement ou une population.

L'attentat renseigne à la fois sur une identité (qui nous sommes), une idée (pourquoi nous combattons) et un projet (ce que nous voulons). Comme il s'adresse simultanément à l'adversaire, à des partisans potentiels, voire à l'opinion internationale, quand ce n'est à la postérité, le terroriste a besoin de vecteurs et relais pour son message. Dans la plupart des cas, il ne dispose pas de médias pour imposer la « bonne interprétation » de son action.

La dimension publicitaire de l'attentat implique la capacité d'occuper l'agenda public, d'attirer les médias et de susciter des réactions adverses (que l'on espère maladroites et contre-productives). On a vu Al-Qaïda ou des groupes affiliés revendiquer des attentats ratés dont il n'est pas certain qu'ils les avaient organisés. Les jihadistes préfèrent se rappeler constamment à l'attention publique (nous avons toujours des partisans résolus) que de réussir des exploits.

Le premier message du terrorisme est la sélection de sa victime, sa fonction, son passé, sa religion, ses propos, sa responsabilité..., une victime anonyme signifiant *a contrario* que tout le monde est menacé. Même le choix d'un bâtiment – ministère, hôtel de luxe, mosquée chiite ou synagogue – parle de lui-même. Difficile de faire plus clair que l'attentat

Terroriser, étymologiquement frapper l'imagination d'une peur inouïe, suppose d'adresser à travers la violence une menace ou un défi de la façon la plus spectaculaire possible, au plus grand nombre possible. En ce sens, on peut parler d'événements comme le 11-Septembre en termes de spectacle et de mise en scène.

de 2007 contre le Samjhauta Express, reliant l'Inde et le Pakistan : il visait « le train de l'amitié » et cherchait effectivement à radicaliser les rapports des deux pays.

Parfois, notamment le 11-Septembre, l'acte se passe de toute revendication. L'attentat est ce que ben Laden définit comme « un message sans mots » et l'idéologue d'Al-Qaïda, al-Zawahiri, comme « le seul langage que comprenne l'Occident ». Quand il s'explique, le terroriste le fait dans un manifeste laissé sur place ou posté, par un appel à une agence de presse, un courriel ou une vidéo sur Internet, suivant les époques.

Les images (foules fuyant, avions percutant les tours, effondrement...) font du 11-Septembre un des événements les plus photographiés de l'histoire. Pourtant, sauf rares exceptions, la plupart des médias refuseront de montrer des cadavres de victimes par respect et pour ne pas donner cette satisfaction aux terroristes.

## Message, scénario et terreur

Ce discours articulé peut comporter plusieurs éléments, dont les quatre suivants :

Tout d'abord le nom de l'organisation (souvent : front, armée, brigade, groupe, fraction, noyaux, cellules, parti, suivi de national, révolutionnaire, prolétarien, islamique, secret, armé, de libération et d'une indication géographique). Cela vaut signature. Certains ajoutent des précisions sur les munitions utilisées, comme des groupes corses, ou des codes d'authentification connus de la police, comme l'IRA et l'ETA : il faut éviter que l'attentat ne soit attribué à un concurrent.

D'autres changent d'étiquette à chaque action. Ainsi, dans les années 1970, des « brigades » dites successivement Raúl Sendic (Uruguayen), Juan Manot (Basque), Che Guevara (le célèbre Argentin), Reza Ray (Iranien) et el Wali Bayyid Sayed (Sahraoui) dédiaient à un martyr chaque attentat contre un diplomate étranger.

D'autres encore pratiquent l'ironie tels « les rebelles du hash » allemands au début des années 1970, ou, un peu plus tard, le CARLOS antinucléaire (Coordination autonome des révoltés en lutte ouverte contre la société). À l'inverse, l'organisation du gourou Joseph Kony, apparue en Ouganda en

Le sigle qui permet de signer un attentat ou que les partisans peignent sur un mur est le logo d'une organisation terroriste : il rappelle qui elle est et ce qu'elle veut. Les Brigades rouges (*Brigate rosse*) ont choisi un nom qui évoque à la fois la tradition communiste italienne et annonce la constitution d'une avant-garde armée du prolétariat dans la guerre des classes. Quant à l'étoile dans un cercle, de l'aveu même de ses créateurs, il s'agissait simplement de trouver un sigle facile à dessiner.

Le Front de libération nationale de la Corse (FLNC) fait allusion aux mouvements armés de décolonisation (FLN algérien), en accord avec la phraséologie marxiste et tiers-mondiste de ses communiqués. La figure du combattant cagoulé et armé (*u ribellu* : « le rebelle ») s'inscrit dans la continuité des armées secrètes, groupes de partisans, guérilleros urbains, résistances armées et autres qui adoptent partout cette tenue faute de vrai uniforme.

1988, qui subsiste vingt ans en commettant les pires exactions, ne craint pas l'emphase : elle se baptise l'Armée de libération du Seigneur.

Les attentats, « anonymes » ou sous signature inédite, donnent toujours lieu à spéculations (ce que les Italiens appellent le « diétrisme ») ou à fausses attributions. Pour le massacre de Milan en 1969, la justice met successivement en cause deux pistes

d'extrême gauche et deux d'extrême droite. L'attentat contre la synagogue de la rue Copernic à Paris, le 3 octobre 1980, jette dans la rue plusieurs centaines de milliers de manifestants ; ils dénoncent un groupuscule néonazi, auquel ils supposaient des complicités dans le gouvernement de Giscard d'Estaing, avant que l'on découvre que les coupables sont un commando palestinien en rupture avec la direction de l'OLP…

Deuxièmement, les terroristes expliquent au nom de qui ils agissent et qui leur confère la légitimité : le peuple, le prolétariat, l'autorité religieuse… Ils se considèrent comme avant-garde, éléments conscients, croyants les plus fervents, bref l'élite d'une communauté promise à un destin historique. Ils insistent sur l'état de nécessité provisoire ou sur l'urgence du péril qui les obligent, eux, bras armé, à combattre maintenant et clandestinement pour

Le sigle de l'ETA est accompagné d'une devise qui signifie « continuer sur les deux voies ». Les deux voies sont celles de la force symbolisée par la hache (donc de la lutte armée), et de la sagesse (donc de l'action politique) représentée par le serpent. L'ETA se voulut longtemps une organisation « politico-militaire », quoique à partir de 1974 une branche strictement militaire pratiquant meurtres, enlèvements, impôt « révolutionnaire » ait fini par prédominer.

Le moudjahid qui a péri volontairement dans un attentat est la fierté de sa famille qui conserve pieusement son portrait (ci-contre). Il a fallu des trésors de dialectique à des théologiens, tout à fait minoritaires et réfutés par les autorités religieuses, pour soutenir que mourir ainsi ce n'est pas se suicider (ce qui serait contraire à l'islam) mais mériter le titre de martyr ; que les victimes des explosions ne sont pas des femmes et des enfants innocents mais qu'ils participent d'une façon ou d'une autre à l'oppression des bons musulmans ; et enfin que tout cela n'est pas du terrorisme, mais la pratique de la guerre sainte défensive, devoir pour tout croyant et qui ne fait que répondre à l'agression des Juifs et des Croisés en terre d'Islam. L'attentat suicide (pratiqué par des groupes sunnites et chiites) n'est ni le monopole, ni l'invention de musulmans. Des groupes nationalistes, marxistes ou des hindouistes (comme les Tigres tamouls) y recourent depuis longtemps.

les masses qui les rejoindront demain en pleine lumière. Accélérer l'histoire est un impératif souvent invoqué, avec l'insuffisance des moyens d'expression démocratiques ou le « grippage des moyens légaux de résistance à l'oppression », selon l'expression de Carlos. Riposter au vrai terrorisme, celui du fort qui nous opprime, et faire connaître notre désespoir : deux justifications récurrentes.

Troisièmement, les responsables des attentats disent qui ils frappent et quel est leur grief. Ils désignent l'ennemi lointain ou le principe général hostile dont la victime atteinte ici et maintenant n'est que le signe. Un petit fonctionnaire paie pour l'État, un patron pour le capitalisme, un colon pour l'impérialisme ou un touriste en boîte de nuit pour la dépravation occidentale, selon que l'ennemi ultime est « les rois des infidèles, rois des croisades et des civils infidèles », les membres du « complot mondialiste », « l'État impérialiste des multinationales » ou simplement l'occupant. Le principe de responsabilité collective joue. Entre tous les croyants de la même foi, entre un peuple et son

gouvernement, entre rouages présumés du système, dont des syndicalistes ou des journalistes, et le système lui-même, le justicier découvre et punit des solidarités.

La notion de compensation du sang versé prédomine surtout dans le discours jihadiste. En vertu de ce que ben Laden nomme lui-même « loi du talion », la liste des martyrs musulmans d'Afghanistan, de Tchétchénie, de Palestine et le nombre des femmes et enfants tués, justifient telles actions ou menaces. Le coupable unique expie à travers ses diverses représentations – notion fort large qui peut inclure des immeubles à Manhattan ou les membres d'une ONG en Irak.

Des « loups solitaires » qui rejoignent le jihad disent avoir éprouvé le sentiment soudain que l'injustice faite à tous les musulmans appelait réparation, ce qui les a poussés à faire payer toute

Les murs peints de fresques à la gloire de l'IRA (ou dans d'autres quartiers, celles de leurs adversaires protestants) ont la même fonction que les monuments officiels : ils rappellent héros, victoires et victimes et ils exaltent la force et les valeurs d'une communauté. Ci-contre, des combattants de l'IRA (dont seuls les masques rappellent qu'ils forment une armée clandestine et ne sont pas les soldats réguliers d'un État souverain) tirent une salve d'honneur. L'hommage qu'ils rendent s'adresse aux camarades morts en prison dont les portraits fleurissent partout comme images pieuses. De ce point de vue, entre victimes des grèves de la faim et combattants morts les armes à la main, l'Armée républicaine n'a pas manqué de figures symboliques au cours d'une histoire de presque un siècle. En Irlande, la tradition des fresques murales remonte à 1908 : dans chaque quartier, catholique ou protestant, on célèbre ses héros. Aujourd'hui ces murs restaurés et protégés sont un élément du patrimoine et une attraction touristique.

cette souffrance. Ils appliquent à leur échelle le principe de rétorsion.

Enfin, l'attentat est censé faire avancer la cause. Il faut donc expliquer l'avantage gagné, en tirer la pédagogie. Par exemple : nous avons démontré la fragilité de l'ennemi, nous prouvons que nous frappons où nous voulons, quand nous voulons. Il peut énoncer un impératif (libérez nos camarades…), ou une promesse (sinon, nous continuerons).

Les exigences varient : certaines sont impossibles à satisfaire et équivalent à « disparaissez de la face de la terre » ; d'autres sont négociables : une rançon, l'élargissement d'un prisonnier. Pour libérer les otages qu'il détient depuis octobre 2010, l'AQMI demande pêle-mêle à la France l'abolition de la loi sur la burqa, une rançon pour les prisonniers et la libération de jihadistes.

Cacher son véritable objectif sous des demandes aussi vastes que vagues n'est pas nouveau : les attentats qui ensanglantèrent la France en 1985 furent revendiqués par un mythique « Comité de solidarité avec les prisonniers arabes et du Proche-Orient ». Mais ce que voulaient en réalité les commanditaires iraniens (et qu'ils obtinrent) était le règlement d'un contentieux financier et la libération de leur agent Anis Naccache.

### Terreur et vecteurs

Si les terroristes ont beaucoup à dire, encore leur en faut-il les moyens matériels : des médias. Tant que prédomine l'imprimé, les possibilités sont relativement restreintes : ronéo clandestine, la presse sympathisante là où elle est tolérée (les journaux anarchistes Belle Époque publiaient parfois des recettes de bombes), ou la presse « du système » qui rend compte du discours terroriste dans les limites du contrôle de l'État.

L'enlèvement puis l'assassinat en 1977 de Hanns Martin Schleyer, président du patronat allemand, par

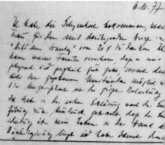

Fac-similé du 1ᵉ feuillet de la lettre de H.M. Schleyer

la Fraction armée rouge sont organisés comme une prise d'otage avec revendication en échange de sa libération, mais aussi comme un acte de justice. L'otage, victime à nos yeux, coupable aux leurs, est jugé, détenu dans une « prison populaire », et doit faire des confessions écrites… avant d'être condamné.

Commence un processus qui consiste à obtenir d'un média exécré, présumé complice des oppresseurs, un maximum de publicité. L'intérêt du journaliste – rendre compte d'événements à sensation, expliquer les intentions des auteurs – rejoint ici objectivement la volonté de s'exprimer des terroristes. Ces intellectuels, qui prennent les idées au sérieux, sont souvent de grands lecteurs, voire des graphomanes. Les communiqués des Brigades rouges sont emblématiques : ils sont tapés

« Jeudi 16 mars [1978], un noyau armé des Brigades rouges a capturé et détient dans une prison du peuple Aldo Moro, ancien président de la démocratie-chrétienne. Son escorte composée de cinq agents des fameux Corps spéciaux a été totalement anéantie. » C'est en ces termes que les Brigades rouges annoncent l'événement majeur des « années de plomb ». En cinquante-cinq jours de détention, tandis que ses photos et ses lettres sont transmises à la presse, à la démocratie-chrétienne et au pape, Moro supplie qu'on libère les brigadistes détenus, comme le réclament ses geôliers. Le 9 mai, qui deviendra en Italie le jour anniversaire des victimes du terrorisme, son corps est retrouvé. Dans un communiqué du 5 mai, les Brigades rouges avaient annoncé : « Après interrogatoire et le procès populaire auquel il a été soumis, le président de la démocratie-chrétienne a été condamné à mort », pour venger, disent-ils, les prolétaires emprisonnés par le système avec la complicité du parti communiste.

serrés sur des feuillets entiers, et le moindre mot donne lieu à d'interminables débats doctrinaux.

Certains groupes organisent des conférences de presse fort courues, dans le maquis comme le FLNC, ou font des apparitions « inattendues » dans des réunions amies. Pourtant, le clandestin, interdit de parole publique, dispose d'une tribune paradoxale : le prétoire. Le système honni la lui offre avant de le réduire au silence absolu (l'exécution) ou relatif (la cellule, d'où il pourra peut-être continuer à écrire), une parenthèse pour qu'il avoue son crime et sa repentance. De Ravachol à Moussaoui (le Français, seul condamné pour l'attentat du 11-Septembre), beaucoup en profitent pour revendiquer leur acte, affirmer que le vrai terroriste est le système. Certains réclament la peine maximale comme un honneur.

L'avocat relais de l'accusé prosélyte est une figure familière. Klaus Croissant, défenseur de la RAF et dont on découvrira après la chute du Mur

Les terroristes sont, par définition, clandestins, et en même temps ils désirent une publicité maximale pour exprimer leurs idées ou pour expliquer les raisons de leur combat. Quand ils estiment que leur action ou la revendication qui l'accompagne ne sont pas assez éloquentes, ils organisent des conférences de presse (ci-dessus, conférence du Hamas), soit dans des zones « libérées » soit en menant dans un endroit caché les journalistes qu'ils croient pourtant au service du système.

qu'il était membre de la Stasi, fait passer les messages, mobilise l'opinion internationale pour ses clients/camarades, et exploite toutes les occasions pour dénoncer la répression. Maître Vergès, qui plaide aussi bien pour le FLN que pour Carlos et qui se flatte d'être « l'avocat du diable », systématise la stratégie de rupture : loin de diminuer la faute de son client, il met en cause le tribunal et l'ordre qu'il représente, menace parfois, provoque toujours.

La TSF marque une première évolution dans la communication terroriste : par définition, une onde franchit les frontières. Cela permet, pourvu que l'on dispose d'un bon émetteur, de relier des groupes dispersés en pays ennemi. Le monopole étatique de l'information se fissure.

Le terrorisme produit aussi des images. Un activiste photographié avec un pistolet P38, c'est, selon l'expression de Renato Curcio, un des fondateurs des Brigades rouges, « une image-message » qui incarne la révolte. Quand l'image est télévisée, voire relayée en mondovision, comme lors de la prise d'otages aux Jeux olympiques de 1972, son impact l'emporte sur celui du discours.

Les proclamations et écrits de prison de la « bande Baader-Meinhof » ou, comme ici, les communiqués des groupes italiens sont l'occasion de réclamer un statut

Une compétition pour l'attention de l'opinion internationale s'ouvre, qui est aussi concurrence pour les minutes d'antenne. Le choix de cibles spectaculaires, télégéniques et si possible internationales (avion de ligne, lieu fréquenté par des touristes...) est payant. Le poids d'un groupe sur la scène politique se mesure souvent à sa capacité à scénariser des images.

de combattants, de mettre en accusation la justice qui prétend les juger et d'expliquer en termes marxistes en quoi leur action n'est pas du romantisme petit-bourgeois.

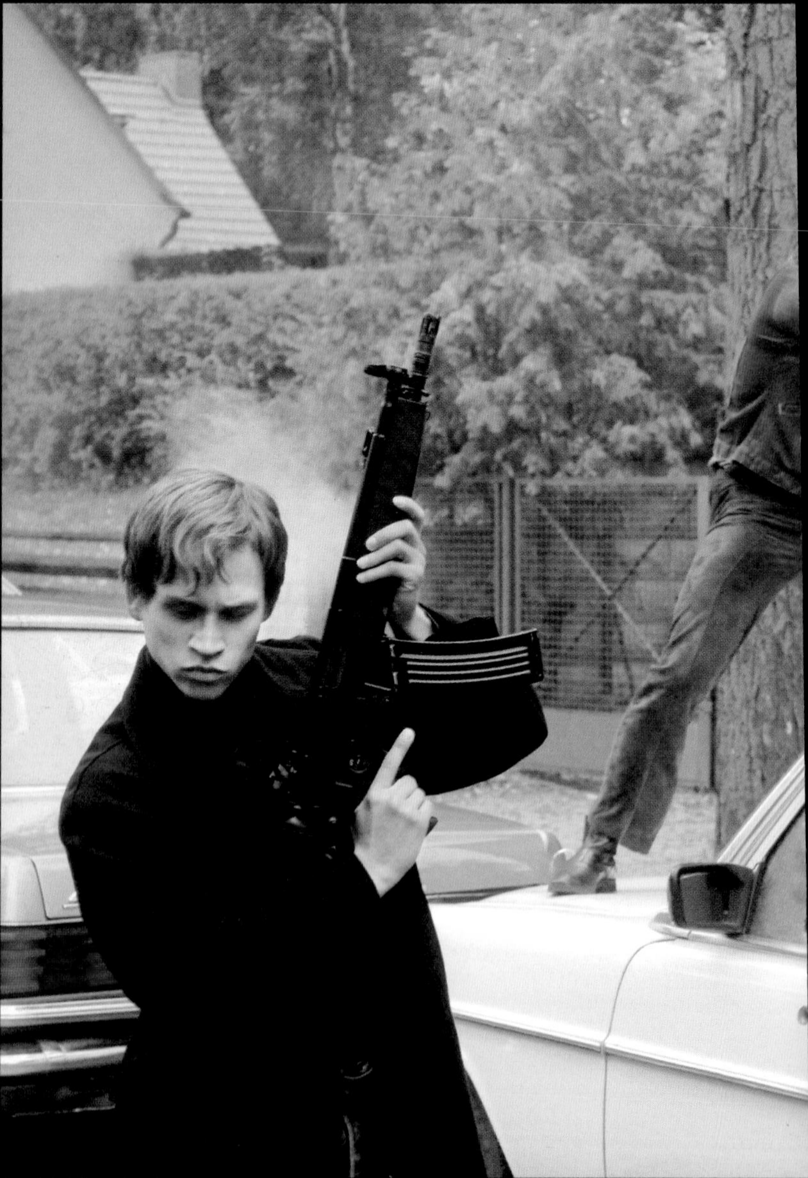

Comment traiter le terrorisme au cinéma ? En Italie et en Allemagne, le souvenir douloureux des « années de plomb » a suscité plusieurs films sur les groupes d'extrême gauche et les mécanismes idéologiques et psychologiques qui les mènent à la lutte armée. *La Bande à Baader* d'Udi Edel (2008) reconstitue sur dix ans l'histoire de la Fraction armée rouge non sans une certaine fascination pour sa violence spectaculaire. Lorsqu'il s'agit de traiter du jihadisme, les réalisateurs hésitent sur le point de vue. Ainsi dans *Paradise Now* de Hany Abu-Assad (2005) suit deux jeunes Palestiniens qui se sont portés volontaires pour un attentat suicide. D'autres films décrivent la lutte antiterroriste comme *Assaut* (Julien Leclercq, 2010) sur le détournement de l'Airbus Alger-Paris en 1994. Quant au 11-Septembre, c'est un thème qui, en dix ans, a suscité peu de films, une des exceptions étant *Vol 93* (*United 93* [titre original], Paul Greengrass, 2005) qui exalte l'héroïsme des passagers d'un des quatre vols détournés ce jour-là, attaquant les pirates pour faire s'écraser l'avion dans la campagne et non sur sa cible, Washington.

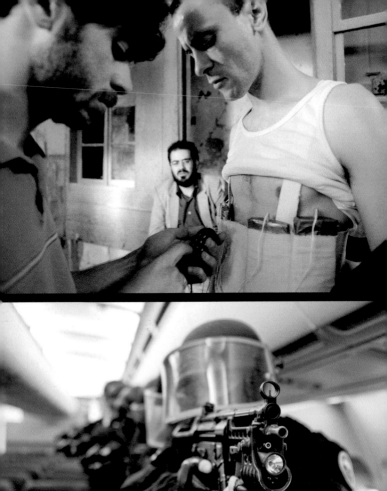

# UNITED 93

**September 11, 2001.**
**Four planes were hijacked.**
**Three of them reached their target.**
**This is the story of the fourth.**

IN MEMORIUM

JASON DAHL
LEROY HOMER
WANDA A. GREEN
LORRAINE G. BAY
CEECEE LYLES
SANDRA W. BRADSHAW
DEBORAH A. WELSH
CHRISTIAN ADAMS
TODD BEAMER
ALAN BEAVEN
MARK BINGHAM
THOMAS BURNETT
WILLIAM CASHMAN
GEORGINE CORRIGAN
JOSEPH DELUCA
PATRICK DRISCOLL
EDWARD FELT
COLLEEN FRASER
ANDREW GARCIA
JEREMY GLICK
LAUREN GRANDCOLAS
DONALD GREENE
LINDA GRONLUND
RICHARD GUADAGNO
TOSHIYA KUGE
WALESKA MARTINEZ
NICOLE MILLER
MARK ROTHENBERG
JOHN TALIGNANI
HONOR WAINIO

## Scène de la terreur, réseaux de la colère

L'apogée du terrorisme-spectacle est atteint avec l'écroulement des Twin Towers, l'événement le plus filmé de l'histoire et le plus rediffusé en boucle. Al-Qaïda trouve son meilleur relais dans la société de l'image quand elle s'en prend aux symboles de l'argent, de l'orgueil, de l'Amérique..., à ces tours que ben Laden qualifie d'« icônes », pour lui des objets d'idolâtrie païenne.

Deux des signes les plus ostentatoires de la mondialisation – les télévisions internationales d'information par satellite et Internet – bouleversent le mode d'expression terroriste. Depuis qu'existe une pluralité de chaînes de TV d'informations internationales, en particulier arabophones, chaque groupe a les moyens de produire ses propres images qui pourront avoir une diffusion planétaire. Sans reprendre les accusations faites à Al-Jazira d'être une « TV terroriste », il faut reconnaître que la chaîne qatarie sert de vecteur à des discours ou des images que censurerait CNN. Ainsi en 2001, au moment même où les troupes américaines lancent leur offensive contre l'Afghanistan, Al-Jazira diffuse le message de ben Laden. Surtout, elle montre les conflits du monde arabe du point de vue des Arabes.

Chaque internaute peut aussi accéder à la production médiatique jihadiste. En amont, il existe des sociétés audiovisuelles, comme As-Sahab, véritable producteur vidéo d'Al-Qaïda, avec studios et moyens de montage. En aval, il faut des chaînes : le Hezbollah crée au Liban Al-Manar (« le fanal »), télévision classée par les États-Unis sur leur liste d'organisations terroristes. Ses images sont relayées jusqu'en Europe grâce aux antennes paraboliques.

Sans tomber dans le mythe d'Al-Qaïda cyberréseau high-tech, on sait qu'il est facile, surtout pour un arabophone, de trouver des forums projihadistes sur Internet, d'y découvrir des

« Les gens du jihad doivent mener une guerre des médias parallèle à la guerre militaire. Ils doivent s'exprimer sur tous les sujets car nous voyons quel effet exercent les médias sur le peuple, pour gagner son appui ou pour dénoncer », déclare en 2006 le « Front islamique global des médias », sans doute issu du Comité médias d'Al-Qaïda qui s'occupait

Global Islamic Media Front

des publications et de la propagande depuis le Pakistan dans les années 1990. Le Front, actif en Europe, est présent sur la Toile et gère même la chaîne numérique « La voix du califat », sous-titrée en anglais, qui répand instructions et films sur le jihad.

instructions techniques sur la fabrication d'explosifs ou de voir des vidéos. Certes les mots et les images ne tuent pas ou ne « rendent » pas terroristes. Mais nombre de ceux qui passent à l'acte en loups solitaires ou en groupe ont d'abord fréquenté ces sites pour renforcer leur motivation.

La Toile permet d'assurer sans grands risques les fonctions essentielles pour une organisation secrète : messagerie interne, lien entre des groupes dispersés, recrutement, éventuellement formation technique, communiqués (ou prêches, discours, fatwas…).

Forums et sites de partage sont autant d'espaces de rencontre pour communautés militantes. La plupart des membres en resteront au stade « virtuel » de l'imprécation ou du débat enflammé avec les frères. Mais les réseaux du Web 2.0, blogs, sites collaboratifs, Wikis et autres, sont accusés de favoriser « l'autoradicalisation » des isolés. Les spécialistes commencent même à parler de « Qaïda 2 » et de « e-jihad ».

Les vidéos jihadistes (ici des vies de martyrs produites par As-Sahab) circulent sur Internet. La fondation As-Sahab (« les nuages ») est officiellement une société de production sunnite pieuse mais est considérée comme organisation terroriste, voix d'Al-Qaïda, par plusieurs gouvernements. Ses films de bonne qualité technique (plusieurs centaines de vidéos) ou les déclarations d'al-Zawahiri sont visibles sur des chaînes arabophones mais circulent aussi sous forme de vidéos pour téléphones portables ou de DVD.

Ben Laden était devenu après le 11-Septembre une paradoxale icône pop, présente sur des tee-shirts, des parfums ou utilisée pour des jouets. Après sa mort, des sondages surprenants, par exemple chez les jeunes Marocains, montrent qu'une partie des musulmans refuse de le tenir pour un simple terroriste. Même en tenant compte de la part de provocation, il faut bien admettre que des centaines de milliers de gens, sans nécessairement approuver la mort d'innocents, estiment ses crimes bien moindres que ceux que l'Occident commet à leur égard, pensent que les morts occidentaux suscitent une indignation disproportionnée par rapport à leurs frères et se souviennent du 11-Septembre comme d'une revanche symbolique contre les puissants responsables de leur propre humiliation. Bref, ben Laden incarnait paradoxalement une revendication de dignité, ne serait-ce qu'en provoquant la peur chez l'adversaire. Que ben Laden n'ait plus guère exercé d'influence réelle dans les dernières années ne change rien à cette réalité.

Alors qu'il fut un temps où les textes et proclamations des terroristes n'étaient guère traduits ou à peine lus, la surveillance des forums jihadistes est maintenant intégrée à la lutte antiterroriste. Cette veille permet de déceler les motivations du futur jihadiste, le lien qu'il établit entre théologie et pratique, la hiérarchie de ses adversaires, le sens religieux et stratégique qu'il attribue à ses actes.

Certes cela ne permet pas de savoir l'heure ou le lieu exacts, mais au moins la direction générale de son action.

Parallèlement, le message jihadiste par l'image s'est sophistiqué et se divise en véritables sous-genres. Le premier est celui des discours des dirigeants spirituels, prêches politico-religieux qui s'adressent surtout aux croyants : ils rappellent les injustices subies, la légitimité théologique du jihad et menacent les prochaines cibles. S'ajoutent des initiatives surprenantes, comme celle d'al-Zawahiri ouvrant une « foire aux questions » sur Internet ouverte à tous ceux qui voulaient se renseigner sur le jihad. Mais, pour cause d'inflation, les nouvelles cassettes de chefs jihadistes, y compris celles en audio de ben Laden, ne bouleversent plus autant les chancelleries ou les médias occidentaux.

Dans un autre registre, martial et exaltant, des vidéos présentent des moudjahidin à l'entraînement, ou des exploits d'insurgés, comme « Juba » le tireur d'élite irakien, vedette d'Internet qui filmait chaque fois qu'il abattait un Américain au fusil à lunette.

Dans notre culture, il est devenu normal de ne pas montrer les images de morts à la guerre, surtout ceux que l'on provoque. Pourtant, chez les jihadistes, l'exécution d'otages est devenue un genre

Les sites Internet servent aux jihadistes à encourager leurs partisans et à répandre des idées, mais aussi à défier l'adversaire ou à lui faire savoir leurs revendications sans pour autant se faire localiser grâce à Internet. Ici, un personnage masqué qui est censé être le responsable d'Al-Qaïda en Arabie Saoudite, Abdul Aziz al-Mogrin, menace de tuer un otage américain dans ce pays en 2004. L'esthétique de ces sites (tenues inspirées des films d'action, armes ostensibles, postures viriles, couleurs violentes...) fait bon ménage avec un discours religieux truffé d'invocations du Coran et de slogans politiques.

télévisuel. Les égorgements de prisonniers occidentaux ou les exécutions à la Kalachnikov de « collaborateurs », policiers ou soldats, se multiplient, spectacle d'une intensité insoutenable pour des Occidentaux. En principe, les fondamentalistes salafistes éprouvent une répulsion envers toute représentation de l'être humain, mais ils considèrent en l'espèce de telles images comme « licites ». Ils les pensent utiles à montrer puisqu'elles illustrent le châtiment des « ennemis de Dieu » et exaltent la foi des croyants.

Reste un dernier « genre » : le testament jihadiste. Celui que nous nommons kamikaze et qui se considère, lui, comme martyr, explique son sacrifice à venir face à l'objectif et commente sa propre mort. Parfois, la caméra le suit dans les minutes qui précèdent l'attentat, disant adieu à ses compagnons avant d'entrer dans la voiture piégée. Le moment de l'explosion et les minutes qui suivent – témoins fuyant et les ambulances hurlant – sont souvent aussi filmés. Enfin, le testament vidéo jihadiste, rediffusé ou remis à sa famille, perpétue la mémoire de son acte. Sa mort est devenue message.

**A**bou Hamza al-Masri, l'imam de nationalité britannique de la fameuse mosquée radicale de Finsbury à Londres, incarne parfaitement le prédicateur accusé de pousser les jeunes au jihad et d'envoyer depuis les banlieues de l'Europe des volontaires pour les attentats ou le « tourisme jihadiste » vers les champs de bataille. Ayant perdu en Afghanistan ses mains et un œil (ce qui lui vaut le surnom de « capitaine Crochet »), Abou Hamza ne cache pas son soutien aux talibans ou à Al-Qaïda ni son espoir de voir instaurer un califat. Il fut détenu en 2003 dans le cadre d'une demande des États-Unis pour avoir soutenu un camp d'entraînement jihadiste sur leur territoire mais ne fut finalement pas extradé en raison de sa nationalité. Il a été condamné en 2006 au titre du Terrorism Act britannique de 2000 pour divers chefs d'accusation : de provocation à la violence ou de soutien moral et intellectuel au terrorisme. Il résume à lui seul le problème de l'appel à la violence dans un pays qui défend les libertés de ses citoyens.

MAY 20, 2

# TIME

www.time

« **I**l a rejoint Dieu comme martyr. L'homme qui terrifiait l'Amérique la hantera et la terrifiera dans sa mort! Vous continuerez à être troublés par sa glorieuse malédiction et vous ne connaîtrez pas le repos tant que nous n'en jouirons pas et que vous n'aurez pas évacué toutes les terres des musulmans. »

Al-Zawahiri, au lendemain de la mort de ben Laden

**CHAPITRE 4**

# UNE FIN AU TERRORISME?

Après la mort de ben Laden (page de gauche, couverture de *Time* du 5 mai 2011), al-Zawahiri prend la tête d'Al-Qaïda (fresque ci-contre), mais beaucoup le considéraient déjà comme le vrai idéologue, artisan des attentats antiaméricains et inventeur de la stratégie de communication jihadiste.

Un attentat peut changer l'histoire, Sarajevo et le 11-Septembre en témoignent ; une série d'attentats transforme parfois le régime qu'ils visent.

Les démocraties proclament volontiers que la pire victoire terroriste serait qu'elles cessent d'être des États de droit. Elles adoptent pourtant législations ou procédures d'exception ; cela favorise bavures et brutalités, et donne un visage hideux à la répression. Ainsi les groupes spéciaux parapoliciers, barbouzes d'Algérie poursuivant l'OAS ou, de 1983 à 1987, les Groupes antiterroristes de libération abattant en France des membres de l'ETA espagnole. L'Amérique latine des années 1970, au nom de la lutte contre les « subversifs », connut ses escadrons de la mort, et ses centres de torture, parfois encadrés par des instructeurs étrangers. L'assassinat « ciblé » est pratiqué par Israël et les États-Unis.

La répression oblige le système à révéler son vrai visage et chaque opprimé à choisir son camp, disait le Brésilien Carlos Marighella, dans son *Manuel de guérilla urbaine* de 1969. Stratégie indirecte, le terrorisme compte sur les réactions contre-productives de son adversaire. Mais au-delà du discrédit moral qu'il inflige au système ou de la palme du martyre qu'il gagne parfois, le terroriste peut-il vraiment l'emporter ?

### Indécidable victoire

Règle bien connue : une guérilla ou une insurrection gagnent tant qu'elles ne perdent pas, donc tant qu'elles subsistent ; une armée – surtout d'occupation – perd tant qu'elle ne gagne pas en éliminant les derniers rebelles.

Le terrorisme appelle la comparaison avec la guerre, fût-ce *a contrario* : il en viole les lois, tue des civils, n'est pas décidé par un État souverain… Même comme guerre du pauvre, il est soumis au

La première caractéristique du groupe terroriste, à la différence des guérillas des campagnes, est de se dissimuler, souvent en se fondant dans la foule des villes. La police qui le poursuit fait parfois appel au public pour le repérer, quitte à utiliser des affiches qui rappellent les « Recherché mort ou vif » des westerns. Sur cette affiche de 1984, des photos des membres de la Fraction armée rouge en

Allemagne de l'Ouest ; il est précisé qu'ils sont armés. De fait, plusieurs membres de la RAF ont tiré sur la police.

critère militaire de la victoire : faire céder une volonté politique par les armes. Le terroriste veut changer l'histoire, sans disposer des plus gros bataillons. Y parvient-il ?

Les exemples abondent où il obtient par la contrainte un avantage tactique (rançon ou libération d'un prisonnier). Ainsi, avec les attentats contre les troupes françaises et américaines au Liban en 1983, des kamikazes ont provoqué le retrait militaire de deux grandes puissances.

Il arrive que l'organisation atteigne ses objectifs politiques (tel pays a acquis son indépendance, tel régime a disparu). Par, ou malgré le terrorisme ?

Des « combattants irréguliers », jihadistes pris en Afghanistan ou ailleurs, sont détenus sans jugement à la base de Guantanamo (ci-dessus). De telles images ont beaucoup fait pour discréditer la « guerre au terrorisme ». Malgré ses promesses, Obama n'a toujours pas fermé Guantanamo.

Parmi les mouvements armés clandestins victorieux, le FLN algérien, l'Irgoun Zvei Leumi israélienne ou l'Ethniki Organosis Kyprion Agoniston (Organisation nationale des combattants chypriotes), qui lutta de 1955 à 1959 pour la République indépendante de Chypre. Ou l'ANC de Mandela en Afrique du Sud. Tous furent considérés comme terroristes, tous virent l'État souverain qu'ils réclamaient.

La relation de cause à effet est tout sauf simple. Après coup, le succès ne peut pas être attribué à la seule violence : propagande en parallèle, revendication populaire, mobilisation de l'opinion, alliances, éventuellement pressions internationales ont aussi joué leur rôle. Israéliens et Palestiniens auraient-ils obtenu leur État sans les attentats de l'Irgoun ou de l'OLP ? Plus tôt ou plus tard ? Leur cause aurait-elle progressé sans bombes et si oui, par quelle loi de l'histoire ?

Les événements offrent parfois aux terroristes un résultat auquel ils n'ont guère contribué. La chute de l'URSS permet l'existence d'une République arménienne. Pour autant, les actions de l'Armée secrète de libération de l'Arménie contre des

Menahem Begin, né en 1913 en Pologne, dont les parents ont péri pendant l'Holocauste et qui a connu le goulag, se retrouve en Palestine avec l'armée polonaise en exil. Désertant en 1943 pour rejoindre le mouvement sioniste, il s'engage dans l'Irgoun paramilitaire et nationaliste. Il vit dans la clandestinité de 1944 à 1948, en pointe dans la lutte contre les Britanniques. Begin dirige l'attentat contre l'hôtel King David de Jérusalem dont une partie abritait le commandement militaire en 1946 : la bombe fait quatre-vingt-onze morts, sinistre record pour l'époque. De même, Begin assume la responsabilité du massacre du village arabe de Deir Yassin en 1948 et s'oppose au modéré Ben Gourion. Finalement, après la proclamation de l'État d'Israël en 1948, il appelle les combattants de l'Irgoun à rendre leurs armes et à rejoindre la Haganah, l'armée de la jeune nation. Begin en sera le Premier ministre de mai 1977 à août 1983 ; ce faucon signera les accords de camp David en 1978 et le traité de paix israélo-égyptien qui suivra.

diplomates turcs, ou les neufs victimes du comptoir de Turkish Airlines à Orly en 1972, ont-elles la moindre part dans ces succès? Il arrive aussi que les résultats obtenus ne correspondent finalement pas à l'objectif visé. Ainsi, *narodniki* et socialistes révolutionnaires russes ont bien vu disparaître le tsarisme, mais au profit des bolcheviks qui, après 1917, exécutèrent bon nombre de ces « individualistes ».

Un mouvement dit terroriste ne saute pas de la clandestinité armée aux ors du pouvoir sans phases transitoires : insurrectionnelle ou négociée. Le terrorisme n'est qu'un moment. Ses théoriciens le disent eux-mêmes : ils ne souhaitent rien tant que de passer à une forme supérieure de représentation, tel un authentique parti de masses.

Les idéaux n'ont pas tous la même chance de succès : il est plus facile d'obtenir son indépendance ou de renverser un gouvernement haï que d'établir le règne de Dieu ou le socialisme sur terre. Les mouvements nationalistes, souvent aussi ceux qui

Le 13 septembre 1993, à Washington, le président Bill Clinton regarde Yitzhak Rabin, Premier ministre israélien, et Yasser Arafat se serrer la main au cours du processus de paix dit d'Oslo (ci-dessous). Les artisans de cette négociation, Yitzhak Rabin, Shimon Peres, l'actuel président israélien, et Yasser Arafat, qui a fondé le Fatah en 1959 et mené la lutte armée contre Israël depuis des décennies, reçoivent le prix Nobel de la paix en 1994.

jouissent du plus fort soutien populaire, ont davantage de chances d'atteindre leurs buts.

Mais aussi, quel est le véritable objectif que se fixe le terroriste ? Qu'appelle-t-il victoire ?

Parfois, la revendication publique dissimule des demandes plus discrètes : ainsi, les attentats commis en France en 1984-1985, en principe pour la « libération des prisonniers politiques arabes », cachaient d'autres revendications, d'ailleurs satisfaites : la libération de l'Iranien Naccache emprisonné pour terrorisme et le paiement de sommes dues à son pays.

Parfois, c'est nous qui n'arrivons pas à saisir le but du terroriste tant il paraît absurde. Que voulaient les dirigeants de la secte Aum en répandant du gaz sarin dans le métro de Tokyo ? D'une idéologie mélangeant bouddhisme et prophéties de Nostradamus, ils retiraient la certitude d'une apocalypse pour 1995, 1997, 1998... En quoi tuer au hasard aurait retardé l'échéance ou augmenté le nombre des élus ?

En octobre 1980, la bombe contre la synagogue de la rue Copernic à Paris (quatre morts) est faussement attribuée à un groupuscule néonazi français déjà dissous. Deux cent mille personnes défilent pour dénoncer l'extrême droite, imaginant des complicités du pouvoir giscardien (ci-dessous); mais l'enquête mène vite au Front populaire de libération de la Palestine. Un complice présumé sera arrêté au Canada en 2007.

De Ravachol aux terroristes d'Oklahoma City, l'attentat sert aussi à exprimer un désir pathétique de témoigner ou de punir plutôt qu'un calcul en vue d'un but stratégique.

Le 13 septembre 1980, rue Pergolèse à Paris, le commissaire Pochon (à gauche) et ses hommes piègent Joëlle Aubron

## Simple police

S'il est difficile de savoir quand le terroriste l'emporte, sans doute est-il plus facile de dire quand il échoue. Ce peut être le cas si les pertes ou les arrestations l'amènent à renoncer.

S'il est vaincu, c'est souvent tout simplement par la police; ce fut presque toujours le cas en France. Vers 1900, peu d'anarchistes échappèrent aux Messieurs de la Préfecture aidés de leurs indicateurs. Entre les deux guerres, la Cagoule fascisante vit cent vingt de ses membres arrêtés en 1937. Plusieurs centaines de membres de l'OAS finirent en prison. Action directe vit ses principaux membres interpellés une première fois (un indicateur leur avait fixé un rendez-vous avec des

émissaires de Carlos mais c'était la police qui les attendait). Ils furent amnistiés en 1981, en profitèrent pour abattre l'indicateur et passer au stade supérieur; ils furent quasiment tous repris dans les six ans qui suivirent. Les auteurs des attentats islamistes de 1995 qui ont survécu ont été arrêtés et jugés... Fin 2010, il y avait en France trois cents personnes inculpées ou incarcérées pour terrorisme dont des Basques, des Corses, des activistes liés à des causes iranienne ou arabe, plus quelques jihadistes présumés...

(ci-dessus) et Jean-Marc Rouillan. Des coups de feu sont tirés et un paparazzi, qui se trouvait là par hasard, saisit la scène. Action directe, groupe anarchisant, n'a encore tué personne à cette époque.

En Allemagne, en Belgique, en Europe en général, les terroristes finissent souvent ainsi. En Italie, et par le nombre des inculpés (quatre mille condamnés pour terrorisme la seule année 1983) et par le doute qui planera toujours sur des attentats suspects et sur la « stratégie de la tension » mal éclaircie, les choses sont plus complexes. Nombre d'activistes se sont « repentis » en collaborant avec la justice ou « dissociés », reconnaissant leurs erreurs mais sans rien faire contre leurs anciens camarades ; cette méthode a contribué à la fin des « années de plomb ».

L'arrestation d'un chef charismatique, Abimael Guzmán pour le Sentier lumineux du Pérou ou Abdullah Öçalan pour le PKK (parti des travailleurs du Kurdistan), ne signe pas la disparition du groupe, mais en précipite souvent le recul.

Quant à l'exécution du chef d'un groupe clandestin, quelle que soit son idéologie, elle tend plus à recruter qu'à décourager les partisans de sa cause. À considérer les choses cyniquement : les Britanniques ont-ils gagné en 1942 à abattre Abraham Stern, fondateur du groupe armé sioniste du même nom, les Boliviens à exécuter Che Guevara en 1967 ou les Israéliens à exécuter l'idéologue tétraplégique et aveugle du Hamas Sheikh Ahmed Yassin en 2004 ? Quant à la mort de ben Laden en 2011, il resterait à démontrer qu'elle a diminué la nocivité du jihadisme, à défaut de précipiter le déclin d'Al-Qaïda qui semblait perdre le contrôle réel sur la violence qui se déchaînait en son nom.

Le succès des forces de sécurité suppose en amont un renseignement efficace. Difficile en ce domaine,

**S**heikh Yassin, le fondateur et dirigeant spirituel du Hamas palestinien, deux fois détenu dans les prisons israéliennes, échappe en 2003 à un tir de roquette depuis un avion de Tsahal (l'armée d'Israël). Une seconde tentative réussit en 2004 à la sortie de la mosquée. Ses partisans défilent avec une chaise roulante rappelant son infirmité et dénoncent cet assassinat « ciblé » autorisé par le droit israélien (ci-dessus).

de trouver contre-exemple plus critiqué que celui des États-Unis avant le 11-Septembre. L'*intelligence failure*, l'incapacité de seize agences de renseignement pourtant dotées de budgets de milliards de dollars, les empêcha de voir de multiples signaux annonciateurs et de déceler le danger. L'élimination de ben Laden après une décennie de traque commence seulement à faire oublier ce traumatisme.

L'équation police efficace, plus renseignement, plus traitement politique du terrorisme réussit donc assez souvent. Selon le *think tank* américain RAND, sur 648 groupes terroristes disparus entre 1968 et 2006, 40 % ont été vaincus de cette façon (10 % « gagnent » et 7 % sont écrasés par l'armée), le reste devenant sinon pacifique, du moins officiel ou légal.

L'exécution de ben Laden en territoire pakistanais le 2 mai 2011 a été suivie en direct par le président Obama et son équipe grâce aux caméras vidéo que portaient les commandos chargés de l'opération (ci-dessous). L'administration Obama, qui a aussi largement recours à la stratégie d'assassinat « ciblé » par drone au Pakistan, a choisi de ne pas montrer de photos du cadavre de ben Laden et de déclarer que le corps avait été immergé, au risque d'alimenter les thèses du complot.

### La fin de l'organisation

Comme les empires ou les entreprises, les groupes terroristes doivent finir un jour. Il y eut au début des années 1990, un débat sur les « cycles terroristes », nihilistes, anarchistes, indépendantistes, d'extrême gauche, international, censés ne durer au maximum qu'une génération… On spéculait sur le déclin historique du phénomène après la « guerre froide ». D'après des études de l'époque, 90 % des organisations duraient moins d'un an et seulement 5 % dépassaient la décennie, les groupes luttant pour leur terre, et *a fortiori* pour leur dieu, ayant la plus grande longévité.

Depuis, le jihadisme a rendu les pronostiqueurs plus prudents. Il y a aussi des résurgences qui font douter des lois chiffrées. Ainsi, de nouvelles Brigades rouges réapparaissant plus de trente ans après les premières, une « Secte des révolutionnaires » grecque (Sekta Epanastaton) postule à la succession du Mouvement du 17-Novembre qui a tué vingt-trois personnes entre 1973 et 2002, date de sa disparition…

Les organisations clandestines connaissent des fusions, des alliances, changent de nom et de sigle, subissent des divisions et scissions. Ainsi, l'évolution de l'*old* IRA de 1919 à l'Irish Republican Liberation Army faisant scission en 2006 de la Continuity Irish Republican Army. Pas facile non plus de dresser l'arbre généalogique reliant la première Organisation révolutionnaire intérieure macédonienne de 1893 aux partis politiques légalistes du même nom apparus en Macédoine et en Bulgarie à la chute du communisme.

Des groupes comme celui d'Abou Nidal, longtemps un des hommes les plus recherchés de la planète, sont des caméléons : cet exclu de l'OLP en 1974 crée le Fatah Conseil révolutionnaire, puis

Une des très rares photos d'Abou Nidal, de son vrai nom Sabri al-Banna, né en 1937. On lui attribue des attentats dans vingt pays ayant tué ou blessé neuf cents personnes, depuis une prise d'otages à l'ambassade saoudienne à Paris en 1973. Il meurt en 2002. Comme Carlos, il personnifie le révolutionnaire devenu le mercenaire d'une « diplomatie par les bombes », vendu au plus offrant.

le Conseil révolutionnaire arabe, le Groupe Abou Nidal, les Brigades révolutionnaires arabes, Septembre noir et l'Organisation révolutionnaire socialiste. Ses commanditaires sont, suivant les époques, l'Irak, la Syrie ou la Libye. Tuant des dirigeants palestiniens, frappant en France (attentat d'Orly en 1978, ou au restaurant Goldenberg en 1982), attaquant des synagogues dans toute l'Europe, des aéroports comme à Rome et Vienne en 1985, détournant des avions, sans compter sa probable participation dans les détournements de ceux de la Panam en 1986 et dans l'attentat de Lockerbie en 1988. Abou Nidal serait mort en 2002

À Ballymurphy, à l'ouest de Belfast, les *murals*, les fresques peintes à la gloire de l'IRA (ou de leurs adversaires dans les quartiers protestants), représentent aussi des héros familiers du quartier à visage découvert, surtout depuis l'accord de paix de 2005.

en Irak, suicidé ou abattu après un siège par les forces de sécurité de Saddam Hussein qui fut sans doute son premier sponsor. Comme pour Carlos, la perte d'un commandataire après la disparition du bloc de l'Est donne souvent le signal de la retraite ou de l'échec.

La force militaire est-elle efficace? Certes, elle a éliminé les maquis communistes des Huks aux Philippines en 1955; au bout de plusieurs années,

George W. Bush a été sévèrement critiqué pour avoir déclaré la guerre « au terrorisme » qui est une méthode de combat et non une lutte contre un pays ou un parti, et surtout pour avoir justifié en son nom la guerre d'Irak. L'occupation

l'armée du Sri Lanka a fini par écraser les Tigres tamouls. Mais il s'agissait d'insurrections ou de guérillas rurales, pratiquant le terrorisme à titre accessoire, et cherchant à créer des « zones libérées ». Cela n'implique pas que la méthode militaire soit efficace contre des adversaires qui se fondent dans le paysage urbain et n'agissent que par surprise. Des exemples comme celui de la bataille d'Alger de 1957 où les parachutistes français démantelèrent la structure du FLN ne contredisent pas ce principe. De l'aveu du général Bigeard, ce n'était pas une bataille mais une opération de police par des soldats avec des pouvoirs de police, et cela

militaire d'un pays que l'on est censé libérer suscite l'hostilité de la population civile excédée (ci-dessus, vieille femme irakienne à Bagdad). Et, comme le suggère cette caricature (en haut, à droite), cela équivaut souvent à chasser des ombres.

Le film de Gillo Pontecorvo, *La Bataille d'Alger* (1966), raconte l'affrontement entre les paras du général Massu et le FLN en 1957. Des responsables FLN comme Yacef Saadi y jouaient leur propre rôle. Le film a été étudié par l'armée américaine comme exemple de contre-insurrection efficace face à un ennemi bien implanté en milieu urbain. Des théoriciens français de la guerre subversive (les officiers Trinquier et Galula) sont aussi étudiés pour la lutte contre le terrorisme.

n'empêcha pas en définitive la victoire politique des nationalistes.

Avec les interventions israéliennes au Liban et dans la bande de Gaza, la stratégie militaire antiterroriste la plus contestée est celle des États-Unis en Irak. Certes, les salafistes étrangers venus rejoindre l'insurrection ont subi des revers. Ce n'est pas la fin du terrorisme : les combattants sunnites se regroupent au sein de l'« État islamique d'Irak », le rythme des attentats ne baisse pas et le danger des milices chiites subsiste.

Pourtant, la méthode dite de « contre-insurrection » (inventée par un Français, le lieutenant-colonel Galula, pendant la guerre d'Algérie et reprise en Irak sous l'impulsion du général Petraeus) est si populaire dans les cercles militaires américains qu'elle a été reprise en Afghanistan, guerre qui a déjà duré plus longtemps que celle du Vietnam.

### De la violence à la politique

La façon la plus probable de finir pour un groupe terroriste consiste à devenir une force politique classique. Ce processus peut couronner de longues négociations, comme lors du Good Friday, le Vendredi saint, de 1998 à Belfast. Le Premier ministre britannique, celui de la République d'Irlande, les partis « loyalistes » unionistes ont ainsi accepté de négocier avec le Sinn Fein de Gerry Adams. Or c'était la vitrine politique de l'IRA provisoire qu'ils tenaient pour responsable de plus de mille cinq cents morts depuis 1969. Encore faut-il attendre 2005 pour que l'IRA provisoire (d'ailleurs dépassée par des maximalistes décidés à continuer le combat) remette ses armes et annonce renoncer à toute campagne armée au profit de « moyens exclusivement pacifiques ».

Plus spectaculaire encore : l'évolution du statut de l'OLP aujourd'hui considérée comme l'élément le plus pacifique et le plus raisonnable du camp

Nelson Mandela (ci-dessus, avec la reine d'Angleterre en 1996), fut président de l'Afrique du Sud de 1994 à 1999, prix Nobel en 1993 (avec le président blanc Frederik de Klerk) pour avoir éliminé pacifiquement le régime d'apartheid. Mais les héros d'aujourd'hui peuvent avoir été appelés terroristes hier. Mandela, qui a dirigé l'ANC (African National Congress) à partir de 1952, s'était pourtant converti à la lutte armée et avait été condamné à perpétuité à ce titre en 1964.

palestinien. Cette organisation créée en 1964 fut dirigée par Yasser Arafat jusqu'à sa mort en 2004. Ce dernier incarna aux yeux de millions de gens le terroriste par excellence, celui qui attaque des avions et tue des victimes innocentes. Une image qui s'est effacée par les accords d'Oslo en 1993, lors desquels il reconnaît l'existence d'Israël. Un an plus tard, il reçoit le prix Nobel de la paix avec ses vieux ennemis Shimon Peres et Yitzhak Rabin.

Le M-19 colombien, en 1989, le Frente Farabundo Martí para la Liberación Nacional salvadorien ou le RENAMO (Resistência Nacional Moçambicana), en 1992, signant des accords de paix avec leurs gouvernements : autant de groupes armés latino-américains et africain convertis à la légalité et qui illustrent le principe pour leurs continents.

La transformation en partis légaux peut dépendre d'intérêts géopolitiques extérieurs. Certains passent ainsi du statut de terroristes à celui de *freedom fighters* lorsque leurs actions coïncident avec les intérêts de grandes puissances ou qu'ils choisissent les bons ennemis, bien plus que lorsqu'ils changent de méthode. Voir l'UCK (Armée de libération du Kosovo) classée comme terroriste avant 1999 et « déclassée » par les États-Unis (qui avaient autrefois pareillement considéré comme « terroriste » l'ANC de Mandela) ou les Moudjahidin du peuple iraniens retirés de la liste noire européenne en 2009. Certains demandent aujourd'hui le même changement de statut pour les Forces armées révolutionnaires colombiennes ou le Hamas.

L'UCK est considérée par les États-Unis comme un groupe terroriste lié au trafic d'héroïne jusqu'en 1998. En 1999, l'OTAN soutient pourtant par ses bombardements les rebelles albanophones contre les troupes de Belgrade. Et quand la province est placée sous protectorat de l'ONU, et que les Albanais célèbrent la victoire, l'UCK devient le très officiel Corps de protection du Kosovo.

Confirmant l'adage : « le terroriste de l'un est le combattant de la liberté de l'autre ».

### Quel avenir pour le terrorisme ?

Quant au déclin d'Al-Qaïda, diagnostiqué au moins trois ans avant la mort de son chef, il nourrit un débat récurrent. La « guerre sans fin » où les États-Unis produisaient davantage d'ennemis à chaque jihadiste abattu, et la contre-productivité de la conquête militaire des pays terroristes sont devenues plus apparentes à la fin des années Bush.

La mort de ben Laden porte-t-elle un coup fatal à Al-Qaïda ou d'autres racines vont-elles repousser comme le suggère ce dessin de Plantu ? Son successeur, al-Zawahiri, s'il survit, se trouve confronté à une organisation de plus en plus régionalisée.

Peu de gens croient que la structure centrale survivante d'Al-Qaïda puisse rééditer des opérations aussi spectaculaires que le 11-Septembre, « performance » sans doute inégalable. Beaucoup de facteurs ont affaibli Al-Qaïda : l'usure de sa capacité opérationnelle, des erreurs stratégiques comme la violence antichiite ou contre des civils musulmans, les défections, des condamnations théologiques qui s'expriment de plus en plus fort au sein de l'Oumma, la communauté des musulmans, peut-être des dissensions idéologiques.

Pourtant, il ne se passe guère de semaine où Al-Qaïda ne fasse parler d'elle par ses « affiliés » présumés. Quitte à revendiquer des attentats ratés ou à monter des opérations peu coûteuses comme l'envoi de colis piégés.

L'activité de groupes armés dément les pronostics optimistes, tels les talibans du Tehrik-e-Taliban au Pakistan, ou les jihadistes yéménites ou sahéliens bénéficiant d'une implantation territoriale. Ils se réclament encore d'Al-Qaïda plus comme un logo publicitaire qu'au titre d'une vraie relation hiérarchique.

Un nouveau terrorisme se répand, individuel ou groupusculaire, mené par des néophytes n'ayant pas forcément fait de « tourisme terroriste » en Afghanistan, au Pakistan ou en Tchétchénie. Les activistes sont souvent considérés comme des citoyens paisibles et intégrés ; ils peuvent passer directement à l'action, sans vraiment passer comme autrefois par la radicalisation, l'intégration à une structure hiérarchique formant et sélectionnant les plus motivés, et enfin sans première expérience au combat pour gagner une certaine expertise... Un terrorisme brouillon (avec un plus fort taux d'échec), mais imprévisible, quasi indétectable et pouvant se manifester à tout moment. Un terrorisme de « loups solitaires » qui semblent plutôt céder à une soudaine rage de vengeance.

Ce terrorisme apparaît moins comme une stratégie de coercition que comme choix de vie et de mort qui trouve sa récompense en lui-même... Et il illustre la phrase souvent citée de ben Laden : « Nous aimons plus la mort que vous n'aimez la vie. »

Le 5 mai 2011, Obama rend un hommage aux victimes de Ground Zero après l'exécution du chef d'Al-Qaïda (ci-dessus). Outre la satisfaction morale et le prestige, les États-Unis gagnent dans cette affaire une plus grande capacité de négociation, par exemple vis-à-vis des talibans d'Afghanistan, puisqu'il est plus facile de les considérer comme indépendants. Mais la présence américaine perd une part de sa justification auprès de ses alliés : le lien avec le 11-Septembre ne convainc plus guère. Page suivante, peinture murale à Belfast.

# TÉMOIGNAGES ET DOCUMENTS

# L'impossible définition du terrorisme

*La définition du terrorisme suscite des controverses inépuisables. Est-il le fait d'acteurs non étatiques, faut-il parler de terrorisme/répression d'État ? Quelle différence avec la résistance (contre une occupation), mais aussi avec une guérilla, une émeute, une manifestation violente ? Faut-il tuer des civils innocents pour être terroriste ?*

*Un des obstacles à une définition universellement acceptée du terrorisme provient de ce qu'il existe un terrorisme « d'en bas », pratiqué par des acteurs non étatiques et un « terrorisme d'État », par lequel le gouvernement en principe détenteur de la violence « légitime » soumet sa population (ou celle qu'il envahit) par la peur. Comme le note Jacques Derrida :*

Si on se réfère aux définitions courantes ou explicitement légales du terrorisme, qu'y trouve-t-on ? La référence à un crime contre la vie humaine en violation des lois (nationales ou internationales) y implique à la fois la distinction entre civil et militaire (les victimes du terrorisme sont supposées être civiles) et une finalité politique (influencer ou changer la politique d'un pays en terrorisant sa population civile). Ces définitions n'excluent donc pas le « terrorisme d'État ». Tous les terroristes du monde prétendent répliquer, pour se défendre, à un terrorisme d'État antérieur qui, ne disant pas son nom, se couvre de toutes sortes de justifications plus ou moins crédibles.

Vous connaissez les accusations lancées, par exemple et surtout, contre les États-Unis soupçonnés de pratiquer ou d'encourager le terrorisme d'État. D'autre part, même pendant les guerres déclarées d'État à État, dans les formes du vieux

droit européen, les débordements terroristes étaient fréquents. Bien avant les bombardements plus ou moins massifs des deux dernières guerres, l'intimidation des populations civiles était un recours classique. Depuis des siècles.

Jacques Derrida,
« Qu'est-ce que le terrorisme ? »,
*Le Monde diplomatique*, février 2004

*Les Organisations internationales ne parviennent jamais à se mettre d'accord. A. Bauer et F.-B. Huyghe en prennent acte :*

Pour des Nations Unies, l'explication n'est pas très difficile à trouver : nombre d'États membres refusent une définition qui pourrait s'appliquer soit à leur propre passé (les mouvements de résistance, libération ou décolonisation dont est issu leur pouvoir) soit aux mouvements qu'ils soutiennent. En dépit de cela, cette proposition de définition du Secrétaire Général qui insiste sur le caractère de « chantage » du terrorisme est souvent reprise : « Tout acte destiné à tuer ou à blesser des civils et des non-combattants afin d'intimider une population, un gouvernement, une organisation et l'inciter à commettre un acte, ou au contraire à s'abstenir de le faire. »

Des institutions se tirent d'embarras en dressant des listes d'organisations terroristes, ce qui renvoie la difficulté au stade de la classification, de son objectivité et de son désintéressement (le processus est souvent identique pour les sectes…).

On cite souvent comme ayant sinon statut officiel, du moins valeur de définition académique souvent utilisée dans les organisations internationales, celle du Hollandais Schmid :

« Le terrorisme est une méthode d'action violente répétée inspirant l'anxiété, employée par des acteurs clandestins individuels, en groupes ou étatiques (semi-)clandestins, pour des raisons idiosyncratiques, criminelles ou politiques, selon laquelle — par opposition à l'assassinat — les cibles directes de la violence ne sont pas les cibles principales. Les victimes humaines immédiates de la violence sont généralement choisies au hasard (cibles d'occasion) ou sélectivement (cibles représentatives ou symboliques) dans une population cible, et servent de générateurs de message. Les processus de communication basés sur la violence ou la menace entre les (organisations) terroristes, les victimes (potentielles), et les cibles principales sont utilisés pour manipuler la cible principale (le public), en faisant une cible de la terreur, une cible d'exigences, ou une cible d'attention, selon que l'intimidation, la coercition, ou la propagande est le premier but. »
Toute critique stylistique mise à part, les choses pourraient se simplifier en définissant le terrorisme comme la pratique d'actes terroristes – les attentats – par des organisations clandestines sur des cibles symboliques dans un but politique, entraînant ou risquant d'entraîner mort d'homme. Disons que telle est notre définition, quitte à ce qu'elle devienne la 203e.

Alain Bauer et François-Bernard Huyghe,
*Les terroristes disent toujours ce qu'ils vont faire*, PUF, 2010

*Dans la pratique, ce sont les définitions des États menant une action dite contre-terroriste qui comptent vraiment. Les universitaires américains B. Krueger et J. Maleckova le résument en ces termes :*

D'une part le Département d'État qui prend acte de l'absence de définition universelle semble synthétiser ce qui est entendu comme tel par nombre de gouvernements et d'organisations internationales. Depuis 1983 il emploie cette définition à des fins statistiques et analytiques : « Terrorisme signifie une violence préméditée, à motivation politique, perpétrée contre des non-combattants par des groupes infra-nationaux ou des agents clandestins, surtout pour influencer un public. Le terme "terrorisme international" signifie impliquant les citoyens ou le territoire de plus d'un pays. » Le département d'État précise que « non-combattant inclut, outre les civils, les militaires qui, au moment de l'incident, sont désarmés et/ou hors service… Nous considérons également comme actes de terrorisme les attaques contre des installations militaires ou le personnel militaire quand une situation d'hostilité militaire n'existe pas sur le site, comme par exemple des bombes contre des bases U.S. dans le golfe Persique, en Europe ou ailleurs »

D'autre part, les universitaires ont tendance à mettre l'accent sur l'intention des terroristes de provoquer peur et terreur chez un public-cible, quand la recherche de la persuasion transcende le mal fait aux victimes immédiates.

Alan B. Krueger et Jitka Maleckova,
*Education, Poverty, Political Violence and Terrorism: Is There a Causal Connection?*, Mai 2002,
traduction de François-Bernard Huyghe

# Nihilistes et anarchistes

*Prenant les armes contre l'État, révolutionnaires russes et anarchistes européens de la fin du XIXᵉ et début du XXᵉ siècle ont beaucoup écrit pour justifier ou expliquer leur action par rapport à la lutte des masses.*

### Une figure du nihilisme

*Netchaïev est l'auteur d'un unique et très bref ouvrage,* Le Catéchisme du révolutionnaire.

1. Le révolutionnaire est un homme condamné d'avance : il n'a ni intérêts personnels, ni affaires, ni sentiments ni attachements, ni propriété, ni même de nom. Tout en lui est absorbé par un seul intérêt, une seule pensée, une seule passion — la Révolution.

2. Au fond de lui-même, non seulement en paroles mais en pratique, il a rompu tout lien avec l'ordre public et avec le monde civilisé, avec toute loi, toute convention et condition acceptée, ainsi qu'avec toute moralité. En ce qui concerne ce monde civilisé, il en est un ennemi implacable, et s'il continue à y vivre, ce n'est qu'afin de le détruire plus complètement.

3. Le révolutionnaire méprise tout doctrinarisme, il a renoncé à la science pacifique qu'il abandonne aux générations futures. Il ne connaît qu'une science — celle de la destruction. C'est dans ce but et dans ce but seulement qu'il étudie la mécanique, la physique, peut-être la médecine, c'est dans ce but qu'il étudie jour et nuit la science vivante des hommes, des caractères, des situations, et de toutes les modalités de l'ordre social tel qu'il existe dans les différentes classes de l'humanité. Quant à son but, il n'en a

qu'un : la destruction la plus rapide et la plus sûre de cet ordre abject.

4. Il méprise l'opinion publique. Il méprise et hait dans tous ses motifs et toutes ses manifestations la moralité sociale actuelle. À ses yeux il n'y a de moral que ce qui contribue au triomphe de la Révolution ; tout ce qui l'empêche est immoral.

5. Le révolutionnaire est un homme condamné d'avance. Implacable envers l'État et envers tout ce qui représente la société, il ne doit s'attendre à aucune pitié de la part de cette société. Entre elle et lui, c'est la guerre incessante sans réconciliation possible, une guerre ouverte ou secrète, mais à mort. Il doit chaque jour être prêt à mourir. Il doit s'habituer à supporter les tortures. [...]

Serge Netchaïev,
*Le Catéchisme du révolutionnaire*, 1868

### La moralité de la bombe

*Gerasim Tarnovski (alias Romanenko) en exil écrit à Genève en 1880* Terrorisme et routine, *dans lequel il explique la « moralité » du terrorisme, accélérateur de la révolution.*

Le terrorisme dirige ses coups contre les vrais responsables du mal. Lorsqu'il sera mis fin à la souffrance du peuple, le sens de la révolte se cristallisera. Il deviendra plus intelligible à la conscience publique et cela incitera le peuple à détester le despotisme. Le gouvernement lui-même y contribue. Selon son habitude, il intensifie ses atrocités inutiles, et même contre-productives, et se repose sur des éléments qui sont sauvages, incontrôlables et dénués de sens en de telles circonstances.

Comme tout ce qui est nouveau et inédit, la révolution terroriste commence par produire une certaine perturbation dans la société, mais la plus grande partie de cette société en a compris le sens. La confusion initiale se transforme en railleries et en colère contre le despote, et en sympathie pour la révolution…

Telle est la voie juste de la libération nationale. « C'est une révolution vraiment scientifique », comme a dit un certain Français du terrorisme russe. Comprenez bien cela, Messieurs, et ne l'oubliez pas.

Sachez bien que la révolution terroriste est morale dans ses buts, plus raisonnable, humanitaire et donc plus éthique dans les méthodes qu'elle utilise que la révolution des masses.

Gerasim Tarnovski, *Terrorisme et routine* [*Terrorizm I Rutina*], Genève, 1880, traduction de François-Bernard Huyghe

### Défier et justifier

*Lors du procès qui le vit condamner à mort pour crimes de droit commun (et non pour ses bombes « politiques ») Ravachol tenta de lire cette proclamation, interrompue par le président.*

On finira sans doute plus vite par comprendre que les anarchistes ont raison lorsqu'ils disent que pour avoir la tranquillité morale et physique, il faut détruire les causes qui engendrent les crimes et les criminels : ce n'est pas en supprimant celui qui, plutôt que de mourir d'une mort lente par suite des privations qu'il a eues et aurait à supporter, sans espoir de les voir finir, préfère, s'il a un peu d'énergie, prendre violemment ce qui peut lui assurer le bien-être, même au risque de sa mort qui ne peut être qu'un terme à ses souffrances.

Voilà pour quoi j'ai commis les actes que l'on me reproche et qui ne sont que la conséquence logique de l'état barbare d'une société qui ne fait qu'augmenter le nombre de ses victimes par la rigueur de ses lois qui sévissent contre les effets sans jamais toucher aux causes ; on dit qu'il faut être cruel pour donner la mort à son semblable, mais ceux qui parlent ainsi ne voient pas qu'on ne s'y résout que pour l'éviter soi-même.

De même, vous, messieurs les jurés, qui, sans doute, allez me condamner à la peine de mort, parce que vous croirez que c'est une nécessité et que ma disparition sera une satisfaction pour vous qui avez horreur de voir couler le sang humain, mais qui, lors que vous croirez qu'il sera utile de le verser pour assurer la sécurité de votre existence, n'hésiterez pas plus que moi à le faire, avec cette différence que vous le ferez sans courir aucun danger, tandis que, au contraire, moi j'agissais aux risque et péril de ma liberté et de ma vie.

Eh bien, messieurs, il n'y a plus de criminels à juger, mais les causes du crime à détruire. En créant les articles du Code, les législateurs ont oublié qu'ils n'attaquaient pas les causes mais simplement les effets, et qu'alors ils ne détruisaient aucunement le crime ; en vérité, les causes existant, toujours les effets en découleront. Toujours il y aura des criminels, car aujourd'hui vous en détruirez un, demain il y en aura dix qui naîtront.

Ravachol, Déclaration rédigée à l'intention de son procès, publiée dans *La Révolte*, n° 40, 1er-7 juillet 1892

### Propagande par le fait

*La « propagande par le fait » – la violence (terroriste pour les uns, révolutionnaire pour les autres) censée réveiller les masses – s'impose dans les milieux libertaires vers les années 1880. L'Association internationale des travailleurs d'obédience anarchiste adopte cette motion en 1881 :*

Considérant que l'A.I.T. a reconnu nécessaire de joindre à la propagande verbale et écrite la propagande par le fait. Considérant, en outre, que l'époque d'une révolution générale n'est pas éloignée […]. Le congrès émet le vœu que les organisations adhérentes […] veuillent bien tenir compte des propositions suivantes :

[…] propager par des actes, l'idée révolutionnaire et l'esprit de révolte […]. En sortant du terrain légal […] pour porter notre action sur le terrain de l'illégalité qui est la seule voie menant à la révolution, il est nécessaire d'avoir recours à des moyens qui soient en conformité avec ce but.[…] Les sciences techniques et chimiques ayant déjà rendu des services à la cause révolutionnaire et étant appelées à en rendre encore de plus grands à l'avenir, le Congrès recommande aux organisations et individus […] de donner un grand poids à l'étude et aux applications de ces sciences, comme moyen de défense et d'attaque.

Congrès socialiste révolutionnaire de Londres, juillet 1881

### Les lois scélérates

*Dans un pamphlet de 1899, Francis de Pressensé, futur président de la Ligue des droits de l'homme, et Émile Pouget stigmatisent comme « scélérates » les lois de 1893-1894 réprimant les menées mais aussi les idées anarchistes et leur apologie.*

Sous l'impression terrifiante d'attentats pour lesquels ceux qui me connaissent ne s'attendront sûrement pas à ce que je m'abaisse à me défendre d'aucune indulgence, les Chambres ont voté en 1893 et en 1894, d'urgence, au pied levé, dans des conditions inouïes de précipitation et de légèreté, des mesures qui ne sont rien de moins que la violation de tous les principes de notre droit…

Quand bien même les lois d'exception ne pourraient frapper, comme elles prétendent viser, que des anarchistes, elles n'en seraient pas moins la honte du Code parce qu'elles en violent tous les principes. Une société qui, pour vivre, aurait besoin de telles mesures aurait signé de ses propres mains son arrêt de déchéance et de mort. Ce n'est pas sur l'arbitraire, sur l'injustice, que l'on peut fonder la sécurité sociale. La redoutable crise déchaînée dans ce pays par le crime de quelques hommes, la complicité de quelques autres, la lâcheté d'un plus grand nombre et l'indifférence d'un nombre plus grand encore, n'aura pas été sans quelque compensation si elle ouvre les yeux à ce qui reste d'amis du droit, de fermes défenseurs de la justice, de républicains intègres, à certains dangers et à certains devoirs.

Francis de Pressensé et Émile Pouget,
*Les Lois scélérates,*
Éditions de *La Revue Blanche,* 1899

### Action directe

*Le passage de la propagande par le fait à l'action directe implique, même si la phraséologie déconcerte le non-initié, d'abandonner les bombes pour le syndicalisme révolutionnaire.*

Qu'est-ce donc que l'action directe ? Une action individuelle ou collective exercée contre l'adversaire social par les seuls moyens de l'individu et du groupement. L'action directe est, en général, employée par les travailleurs organisés ou les individualités évoluées par opposition à l'action parlementaire aidée ou non par l'État. L'action parlementaire ou indirecte se déroule exclusivement sur le terrain légal par l'intermédiaire des groupes politiques et de leurs élus. L'action directe peut être légale ou illégale. Ceux qui l'emploient n'ont pas à s'en préoccuper. C'est avant tout et sur tous les terrains, le moyen d'opposer la force ouvrière à la force patronale. La légalité n'a rien à voir dans la solution des conflits sociaux. C'est la force seule qui les résout.

L'action directe n'est pas, cependant, nécessairement violente, mais elle n'exclut pas la violence. Elle n'est pas, non plus, forcément offensive. Elle peut parfaitement être défensive ou préventive d'une attaque patronale déclenchée ou sur le point de l'être, d'un lock-out partiel ou total, par exemple, déclaré ou susceptible de l'être à brève échéance… L'action directe est la seule et véritable arme sociale du prolétariat. Nulle autre ne peut, quelqu'emploi qu'on en fasse, lui permettre de se libérer de tous les jougs, de tous les pouvoirs, de toutes les dictatures, y compris la plus absurde d'entre elles : celle du prolétariat.

Pierre Besnard, *Les Syndicats ouvriers et la Révolution sociale*, 1930

### Marxisme et terrorisme

*Trotsky, comme Lénine, désapprouvait le terrorisme individuel, non par horreur du sang, mais parce qu'il lui semblait contredire les mécanismes de la lutte des classes.*

Si un dé à coudre de poudre et un petit morceau de plomb sont suffisants pour traverser le cou de l'ennemi et le tuer, quel besoin y a-t-il d'une organisation de classe ? Si cela a un sens de terrifier des personnages hauts placés par le grondement des explosions, est-il besoin d'un parti ? Pourquoi les meetings, l'agitation de masse, et les élections, si on peut si facilement viser le banc des ministres de la galerie du parlement ?

À nos yeux la terreur individuelle est inadmissible précisément parce qu'elle rabaisse le rôle des masses dans leur propre conscience, les fait se résigner à leur impuissance, et leur fait tourner les yeux vers un héros vengeur et libérateur qui, espèrent-ils, viendra un jour et accomplira sa mission. Les prophètes anarchistes de la « propagande de l'action » peuvent soutenir tout ce qu'ils veulent à propos de l'influence élévatrice et stimulante des actes terroristes sur les masses. Les considérations théoriques et l'expérience politique prouvent qu'il en est autrement. Plus « efficaces » sont les actes terroristes, plus grand est leur impact, plus ils réduisent l'intérêt des masses pour l'auto-organisation et l'auto-éducation…

Si nous nous opposons aux actes terroristes, c'est seulement que la vengeance individuelle ne nous satisfait pas. Le compte que nous avons à régler avec le système capitaliste est trop grand pour être présenté à un quelconque fonctionnaire appelé ministre. Apprendre à voir tous les crimes contre l'humanité, toutes les indignités auxquelles sont soumis le corps et l'esprit humain, comme les excroissances et les expressions déformées du système social existant, dans le but de diriger toutes nos énergies en une lutte contre ce système – voilà la direction dans laquelle le désir brûlant de vengeance doit trouver sa plus haute satisfaction morale.

L. Trotsky, « Pourquoi les marxistes s'opposent au terrorisme individuel », in *Der Kampf*, novembre 1911

# Nationalistes et indépendantistes

*Si nihilistes et anarchistes attaquent l'État pour le détruire, depuis la fin du XIXᵉ siècle jusqu'à nos jours, la majorité des groupes qui recourent à la lutte armée clandestine et que les autorités nomment terroristes, agissent au nom de la Nation. De même, les indépendantistes demandent que leur région ou leur province se libère de l'État central, fût-il démocratique. Malgré d'énormes divergences idéologiques, ces « armées secrètes » ou ces « Fronts de Libération » ont en commun de se référer au territoire de leurs pères et de vouloir créer ou y rétablir un État représentant le peuple authentique.*

## La révolution, tout de suite

*Dans son livre autobiographique, Ernst von Salomon (1902-1972) raconte comment, jeune officier prussien vaincu en 1918, il rejoint les corps francs qui combattent les communistes dans les pays baltes, puis l'organisation Consul qui assassine en 1922 le ministre des Affaires étrangères Rathenau, symbole du régime de Weimar.*

« Si nous ne risquons pas maintenant la tentative suprême, dit-il, peut-être sera-t-il ensuite trop tard pour des siècles. Ce qui bouillonne en nous fermente aussi dans tous les cerveaux importants, mais ne peut prendre forme que grâce à une activité ininterrompue. L'évolution doit elle-même se donner une impulsion toujours croissante, dans un mouvement précipité, qui ne laisse pas le temps à la réflexion et qui, devant la nécessité du moment, fait recourir à tous les moyens que peut dicter la vie la plus primitive.

Une révolution ne se fait jamais autrement. Et nous voulons la révolution. Nous ne connaissons pas le fardeau des plans, des méthodes et des systèmes. C'est pour cela qu'il nous appartient de faire le premier pas, d'ouvrir la première brèche. Nous devrons disparaître au moment où notre tâche sera accomplie. Notre tâche est, non pas de gouverner, mais de donner l'impulsion. (…) J'ai l'intention de tuer l'homme qui dépasse tous ceux qui sont réunis autour de lui. » J'avais la gorge sèche. Je demandai : « Rathenau ? » « Rathenau », répéta Kern. Il se leva, et puis : « Le sang de cet homme doit séparer irrémédiablement ce qui doit être séparé à jamais »

Ernst von Salomon,
*Les Réprouvés*
[*Die Geächterren*], 1930,
traduction de Andhrée Vaillant
et Jean Kuchenburg, Plon, 1986

## Pas de révolution sans terrorisme

*En 1930, l'Hindustan Socialist Revolutionary Association, alias HRA (Hindustan Republican Association par allusion à l'IRA), sous la plume de Baghwat Charan Vohra, prône la lutte armée contre les Britanniques, contrairement au Mahatma Gandhi partisan de la non-violence. Charan se fera sauter avec sa propre bombe.*

Le terrorisme n'est pas la révolution complète mais la révolution n'est pas complète sans le terrorisme. Cette thèse peut être soutenue par l'analyse de n'importe quelle révolution dans l'histoire. Le terrorisme instille la peur dans le cœur des oppresseurs, il fait naître des espoirs de revanche et de salut chez les masses opprimées. Il donne courage et confiance en soi à celui qui hésite et il ébranle les préjugés raciaux du monde, parce qu'il est la preuve la plus convaincante de la soif de liberté d'une nation. Ici en Inde, comme pour d'autres pays dans le passé, le terrorisme se développera en révolution et la révolution se transformera en indépendance sociale, politique et économique.

Gandhi a appelé tous les gens raisonnables à ne plus soutenir les révolutionnaires et à condamner leurs actions afin que les patriotes, faute d'incitation à la violence, en réalisent la futilité et le mal que les actions violentes ont provoqué chaque fois. Comme il est facile d'appeler le peuple déçu à les déclarer fous, à ne plus les soutenir pour les isoler et les forcer à suspendre leurs activités ! Surtout de la part d'un homme qui a la confiance d'une fraction influente de la population. Dommage que Gandhi ne puisse pas et ne veuille pas comprendre la psychologie des révolutionnaires en dépit de sa longue expérience de la vie publique…

Manifeste du HSRA, diffusé clandestinement en Inde en janvier 1930, traduction de François-Bernard Huyghe

## Le terrorisme, c'est l'espoir

*En 1958, pendant la guerre d'Algérie, André Malraux donne un entretien à Jean Daniel, futur fondateur du Nouvel Observateur, sur un sujet tabou : la comparaison entre la Résistance française que l'occupant qualifiait précisément de terroriste et le FLN (Front de libération nationale) algérien qui, au nom de l'indépendance, posait des bombes et commettait des attentats. Est-ce la légitimité des buts qui fait la différence entre le résistant et le terroriste ? Le terrorisme est-il une méthode stratégique, donc en vue d'une victoire espérée ? L'auteur de* La Condition humaine *(dont le héros est le terroriste chinois Tchen) répond.*

*JD : Que pensez-vous du terrorisme ?*
AM : Le terrorisme, c'est l'espoir. Sans espoir, le terrorisme meurt. De lui-même. Ou bien les Américains débarquent, et on fait sauter les ponts, en Corrèze, on déboulonne les rails. Ou les Américains ne débarquent pas, et alors, c'est la répression, c'est la population contre nous, c'est ce que Baudelaire appelle « l'irrémédiable ». Avec l'irrémédiable, pas de terrorisme possible.

*Du point de vue stratégique, bien sûr, mais au niveau individuel ?*
C'est une autre histoire. Vos Nord-Africains ne me surprennent aucunement. J'ai connu tous les types de terroristes. Il faut classer. Vous connaissez, naturellement, l'histoire du grand-duc Serge. Les terroristes veulent

placer une bombe, ils hésitent parce qu'il y a des enfants dans le carrosse. Ils finissent par la jeter. Ils retournent voir leurs amis. Là, c'est la tristesse et la justification. En fait, ils sont seuls. Mon Tchen, lui aussi, est seul.

*C'est pourquoi ils plongent aussitôt dans l'univers moral?*

Exactement. C'est la solitude éthique. Tandis que les maquisards de Corrèze reviennent, après leur exploit, quand vos Algériens retrouvent les amis après avoir placé leur bombe, alors on sable le champagne. Cela n'a plus rien à voir avec la solitude. Au contraire, l'impératif est collectif. Cela dit, le moteur individuel du terrorisme, c'est encore autre chose. D'abord, évidemment, un terroriste c'est avant tout un type « qui en a ». Question de tempérament. C'est cela : à la base, le tempérament. Ensuite il peut y avoir, il y a presque toujours, une impulsion vengeresse. Le terrorisme provoque la répression, mais la répression organise le terrorisme. Au stade élémentaire, c'est le frère, le père, ou la mère tué et humilié. Ou même l'ami. Importance de la solidarité dans l'amitié chez les terroristes. Réfléchissez là-dessus. Plus que les femmes, plus que les parents ; l'ami. Mais même là quand le tempérament est indiscutable, même si l'ami est tué, sans espoir, pas de terrorisme.

*Et pourtant, j'ai eu l'impression à Alger que le terrorisme était entrepris quand ce que vous appelez « l'irrémédiable » menaçait d'arriver. Après l'étouffement militaire, après certains succès de la pacification.*

Attention ! Il faut savoir ce que c'est que l'espoir. Ce n'est pas la certitude d'une réussite immédiate, pour soi, pour le terroriste lui-même. J'ai vu des maquisards mourir dans la joie, sachant que tout le maquis allait être écrasé. L'espoir, c'est l'élan historique, c'est l'avenir inéluctable.

Entretien avec André Malraux (1958), republié dans *Médium,* n° 7, avril -juin 2006

## L'ETA au procès de Burgos : révéler le visage de l'ennemi

*En 1970, dans l'Espagne de Franco, seize indépendantistes basques sont jugés pour un attentat contre un policier. Ils transforment leur procès en tribune, pour dénoncer la répression, faire connaître leur cause et susciter un mouvement de solidarité au-delà des frontières.*

Avant le début du procès, un des buts que nous nous étions proposé d'atteindre grâce à lui, a été de tirer profit de la plateforme de propagande que nous offrait, sans le vouloir, le Tribunal fasciste, pris à son propre piège en prétendant présenter comme légal ce qui, dès le début, n'a été qu'une absurde farce absolument illégale.

Nous avons voulu en profiter pour faire connaître à l'opinion internationale la lutte que mène le peuple basque, et d'abord sa classe ouvrière, pour sa libération totale. Nous pensons y avoir réussi et même mieux que nous ne pouvions l'espérer même dans nos prévisions les plus optimistes.

Nous disons cela bien que les renseignements que nous avons sur cette prise de conscience se limitent surtout à ce que la presse officielle fasciste (l'unique source d'information qui nous soit permise) n'a pu passer sous silence, et à ses grotesques trépignements qui montrent bien ce qu'elle est réellement et constituent un signe révélateur de la profondeur de cette prise de conscience.

Nous sommes réellement abasourdis et émus par le mouvement impressionnant de solidarité internationale déclenché dans le monde entier par notre procès, de solidarité avec la lutte de notre peuple qui, indubitablement, s'en trouvera encouragée.

En ce qui nous concerne, nous pouvons affirmer sans détour que pas un seul mot, pas un seul geste de solidarité qu'on nous a adressé, ne sera dédaigné ou trahi ; cette solidarité nous confirme dans notre décision de lutter toujours et de toutes nos forces contre l'oppression quelle qu'elle soit.

Ce qui s'est passé a aussi permis, sans aucun doute, que le régime grâce auquel le gouvernement de l'oligarchie opprime les peuples basque, espagnol, catalan et galicien, apparaisse à nouveau, sans déguisement d'aucune sorte, tel qu'il est réellement, tel qu'il n'a jamais cessé d'être un instant depuis le jour où on l'a imposé : entièrement fasciste, dans tout son contenu et dans tous ses actes.

Cela nous paraît également très important si l'on tient compte du fait que, ces dernières années, il avait prétendu se présenter au monde avec un visage plus libéral, qui lui aurait permis d'établir de nouvelles relations économiques afin de sortir de sa crise chronique ; dans ce but, il a recouru à des formes qu'il voulait faire passer pour une « ouverture », et qui n'étaient, comme il a été amplement prouvé, que simples apparences, rideaux de fumée destinés à cacher le même fond immuable, fasciste jusqu'à la moelle.

http://www.étoilerouge.chezalice.fr,

## IRA : faire la paix et déposer les armes

*Quand l'armée révolutionnaire irlandaise conclut en 2005 un accord de paix et dépose les armes, elle le fait sur le ton d'un communiqué militaire, bien en accord avec sa conviction que l'IRA représente le peuple irlandais et que son « terrorisme » est une guerre du pauvre menée clandestinement, certes, mais légitimement.*

La direction de Oglaigh na hEireann (IRA) a officiellement mis fin à l'offensive armée. Ceci prendra effet à 4 h de cet après-midi. Toutes les unités de l'IRA ont ordre de reposer les armes. Tous les volontaires ont pour instruction de contribuer au développement d'un processus purement politique et démocratique par des moyens pacifiques.

Les volontaires ne doivent s'engager dans aucune autre activité. Le commandement de l'IRA a également autorisé son représentant à négocier avec l'IICD (Commission indépendante internationale de déclassement) pour parachever le processus de vérification de démilitarisation de son arsenal de manière à renforcer la confiance publique et d'arriver au plus vite à la conclusion du processus.

Nous avons invité deux témoins indépendants des Églises protestante et catholique à être témoins de ceci. Le Conseil a pris ces décisions après des discussions internes et un processus de consultation sans précédent avec les volontaires…

Chaque volontaire est conscient de l'importance des décisions que nous avons prises et tous les Oglaigh (*volunteers*) se sont engagés à se soumettre à ces ordres sans restriction. Nous sommes en face d'une chance sans précédent d'utiliser l'énergie et la bonne volonté remarquables qui existent en faveur du processus de paix. Cet ensemble sans exemple d'initiatives est notre contribution à ce changement et aux objectifs permanents d'indépendance et d'unité pour le peuple d'Irlande.

Irish Republican Army,
texte de déclaration de cessez-le-feu,
28 juillet 2005, traduction
de François-Bernard Huyghe

# Insurrection et contre-terrorisme

*Le terrorisme et la guérilla, urbaine ou rurale, ont leurs stratèges qui réfléchissent aux conditions dans lesquelles une insurrection armée ayant une implantation plus ou moins forte dans la population peut être vaincue.*

## Guérilla urbaine

*Le Brésilien communiste Carlos Marighella, né en 1911 et tué par la police en 1969 fut connu et admiré de l'extrême-gauche pour avoir théorisé la guérilla urbaine dans un manuel de 1968 devenu un classique.*

Le guérillero urbain est un homme armé qui lutte contre la dictature militaire ou toute autre forme d'oppression par des moyens non conventionnels. Révolutionnaire sur le plan politique et vaillant patriote, il lutte pour la libération de son pays, il est ami du peuple et de la liberté. Son champ de bataille, ce sont les grandes villes du pays. Le guérillero urbain, lui, lutte dans un but politique et n'attaque que le gouvernement, les grands capitalistes et les agents de l'impérialisme, en particulier les Américains du Nord. Le guérillero urbain ne craint pas de démanteler et de détruire le système économique, politique et social en vigueur, car son objectif est d'aider la guérilla rurale et de contribuer à l'instauration de structures sociales et politiques entièrement nouvelles et révolutionnaires, où le pouvoir sera donné au peuple armé [...] Dans le cadre de la lutte de classe, dont l'approfondissement est aussi inévitable que nécessaire, la lutte armée du

guérillero urbain vise deux buts :
- la liquidation physique des chefs et des subalternes des forces armées et de la police ;
- l'expropriation d'armes ou de biens appartenant au gouvernement, aux grands capitalistes, aux latifondiaires et aux impérialistes.

Carlos Marighella,
*Manuel du guérillero urbain*,
Paris, Libertalia, 2009

## Tupamaros : les erreurs à éviter

*Un autre théoricien de la guérilla urbaine, Abraham Guillen analyse l'action des Tupamaros d'Uruguay (aujourd'hui convertis à la légalité) qui furent très actifs dans les années 1960-1970.*

Dans une guerre révolutionnaire, toute action de guérilla qui nécessite d'être expliquée au peuple est politiquement inutile : elle doit être elle-même significative et convaincante. Tuer un simple soldat en représailles contre l'assassinat d'un guérillero, c'est s'abaisser au même niveau politique qu'une armée réactionnaire. Il vaut mieux, et de loin, faire de ce dernier un martyr et s'attirer ainsi la sympathie des masses plutôt que de la perdre ou de neutraliser l'appui populaire par des tueries absurdes sans but politique évident. Pour ganter une guerre populaire, il faut agir en conformité avec les intérêts, les sentiments et la volonté du peuple. Une victoire militaire ne sert à rien si elle n'a pas une signification politique convaincante. Dans les pays où la bourgeoisie a aboli la peine de mort, il est dangereux de condamner à mort même les ennemis les plus haïs du peuple… Organiser des prisons populaires, condamner à mort divers ennemis du peuple, loger des guérilleros dans des quartiers secrets ou des refuges clandestins, c'est créer une infrastructure destinée plus à soutenir un État en miniature qu'une armée révolutionnaire. Pour se gagner l'appui de la population, il faut se servir des armes directement en son nom.

Abraham Guillen,
« La guérilla urbaine des Tupamaros »,
*Estrategia de la guerila urbana*,
Montevideo, 1971

### La contre-insurrection

*Le Français David Galula (1891-1967), un des fondateurs du Service d'action psychologique pendant la guerre d'Algérie, a connu la gloire posthume aux USA comme « Clausewitz de la contre-insurrection », selon la formule du général Petraeus. Ses analyses, écrites en 1963, éclairent les difficultés de la guerre américaine « contre le terrorisme » en Irak et en Afghanistan après 2001.*

La stratégie de la guerre conventionnelle prescrit de conquérir le territoire de l'ennemi, de détruire ses forces. L'ennui, c'est qu'en l'occurrence, l'ennemi ne détient aucun territoire et refuse de se battre pour le conserver. Il est partout et nulle part. En concentrant des forces suffisantes, la contre-insurrection peut à tout moment pénétrer et occuper une zone rouge. Une telle opération, si elle est bien soutenue, peut réduire les

activités de guérilla qui les transférera dans une autre zone et le problème restera non résolu. Il peut même être aggravé si la concentration des forces de la contre-insurrection a été faite en créant des risques excessifs pour les autres zones.

La destruction des forces insurgées demande qu'elles soient localisées et immédiatement encerclées. Mais elles sont trop petites pour être facilement repérées par les moyens d'observation directe dont dispose la contre-insurrection. Le renseignement est la principale source d'information sur les maquisards et le renseignement doit venir de la population, mais la population ne parlera pas si elle ne se sent pas en sécurité et ne peut se sentir en sécurité tant que le pouvoir des insurgés n'a pas été brisé. Les forces insurgées sont aussi trop mobiles pour pouvoir être encerclées et anéanties facilement. […] La guerre insurrectionnelle a spécifiquement pour dessein de permettre au camp initialement affligé de faiblesse de se renforcer progressivement tout en combattant. La contre-insurrection, elle, est naturellement dotée de force et, pour elle, adopter le mode de combat des insurgés serait comme pour un géant d'entrer dans les vêtements d'un nain. Si la guerre conventionnelle, pas plus que la guerre insurrectionnelle, n'est adaptée, la conclusion inévitable est que la contre-insurrection doit appliquer une guerre qui lui est propre et qui prend en compte non seulement la nature et les caractéristiques de la guerre révolutionnaire, mais aussi les lois particulières de la contre-insurrection et les principes qui en découlent.

David Galula,
*Contre-insurrection*,
Economica, 2008

# Les années de plomb

*De la fin des années 1960 aux années 1980, l'Europe connaît un terrorisme d'extrême-gauche, qui se réfère parfois aux Tupamaros, aux Vietcongs, voire à la Symbionese Liberation Army US (SLA), et prône une guérilla urbaine.*

## Brigades rouges : bientôt le parti armé

*Un des thèmes récurrents des communiqués des Brigades Rouges (ici en septembre 1971) : la bourgeoisie s'affole et durcit la répression avec la complicité du Parti Communiste Italien.*

Nous sommes fatigués des interminables déclarations de principe, de concepts déjà énoncés dans les CPM, « Sinistra Proletaria », « Nuova Resistenza ». La nouveauté consiste par-dessus tout dans l'opération de systématisation accomplie.

La bourgeoisie, face à sa crise, n'a pas d'alternative que la militarisation non pas de type fasciste traditionnel, mais fasciste-gaulliste qui prend une apparence démocratique (prépondérance du premier ministre et du président de la République sous la Constitution de la V$^e$).

La gauche non réformiste n'est pas préparée à faire face à ce type d'affrontement armé.

Il y a donc deux possibilités :

1°) répondre sur le mode de la troisième Internationale avec des variantes anarcho-syndicalistes ; les « groupes » ont déjà choisi celle-ci ;

2°) ou rejoindre l'expression révolutionnaire métropolitaine de notre époque à savoir : les BR et ce en référence au marxisme-léninisme, la révolution culturelle prolétarienne sur le modèle d'expériences des mouvements de guérillas métropolitaines.

Nous voulons seulement être le premier point de rencontre des formations du parti armé, qui n'est pas le bras armé d'un mouvement de masse désarmé, mais plutôt le point d'unification le plus élevé.

Nous n'acceptons pas les schémas du PC européen, surtout en ce qui concerne la question des rapports entre une organisation politique et militaire.

Nous voulons une guérilla !

1°) Comment voyez-vous la phase actuelle de l'affrontement de classe ?

La gauche révolutionnaire extra-parlementaire s'est trouvée démunie, pas préparée face à la recherche d'un nouvel équilibre de la part de la bourgeoisie.

Notre expérience politique naît de cette exigence.

2°) Quelles sont les causes à la base de la crise actuelle ?

Aujourd'hui on est face à un revirement de prospective politique de la bourgeoisie mise au pied du mur face à l'initiative de la classe ouvrière qui a refusé le réformisme comme projet de stabilisation sociale, mettant à l'ordre du jour la fin de l'exploitation.

3°) Comment va évoluer la situation politique ?

Il n'y a qu'une seule possibilité pour la bourgeoisie : rétablir la situation, moyennant une organisation toujours plus despotique du pouvoir. Le despotisme croissant du capital sur le travail, la militarisation progressive de l'État et de l'affrontement de classe, la montée de la répression comme fait stratégique sont les conséquences objectives et inexorables.

http://www.étoilerouge.chezalice.fr

### Écrits de prison

*Ulrike Meinhof écrit beaucoup de prison, notamment, en 1974, pour expliquer en quoi l'Action de la RAF si impopulaire auprès du prolétariat allemand contribue à la Révolution mondiale.*

Ce qui donne son importance militaire à la guérilla métropolitaine, et ici à la RAF, aux brigades rouges en Italie, à la SLA et à d'autres groupes aux USA, c'est le fait que ses objectifs d'opération dans le cadre de la lutte de libération des peuples du tiers monde sont à l'intérieur des lignes, c'est le fait que dans la lutte solidaire avec les mouvements de libération du tiers monde elle peut attaquer l'impérialisme sur ses arrières, d'où il exporte ses troupes, ses armes, ses instructeurs, sa technologie, ses systèmes de communication et son fascisme culturel pour opprimer et exploiter les peuples du tiers monde et pour anéantir les mouvements de libération.

Voilà la définition stratégique de la guérilla métropolitaine dans le cadre de l'internationalisme prolétarien : déclencher la guérilla, la lutte armée, la guerre populaire dans l'arrière-pays de l'impérialisme, au cours d'un processus prolongé – car la révolution mondiale n'est assurément pas une affaire de quelques jours, de semaines, de mois, elle ne se fera assurément pas par quelques soulèvements populaires, n'est assurément pas un processus court, assurément pas la

prise du pouvoir de l'appareil d'État – comme la conçoivent les partis révisionnistes et les groupes pour la formation de partis révisionnistes, ou du moins ceux qui prétendent le concevoir, car ils ne conçoivent rien du tout.

Dans les métropoles, le concept d'État national est devenu une fiction, qui n'est couverte par rien, ni par la réalité de la classe dominante, ni par sa politique, ni par la structure du pouvoir.

Elle ne peut même plus s'appuyer sur les frontières linguistiques depuis qu'il y a dans les pays riches de l'Europe occidentale, des millions de travailleurs immigrés.

On assiste plutôt en Europe à un internationalisme du prolétariat en voie de formation à travers l'internationalisme du capital, à travers de nouveaux médias, à travers la dépendance réciproque du développement économique, à travers l'élargissement de la communauté européenne – et les appareils syndicaux s'appliquent déjà depuis des années à l'assujettir, le contrôler, l'institutionnaliser et l'opprimer.

La fiction de l'État national à laquelle s'agrippent les groupes révisionnistes avec leur forme d'organisation, correspond à leur fétichisme légaliste, leur pacifisme, et sa limitation petite-bourgeoise, leur incapacité de penser de façon dialectique.

La petite bourgeoisie a toujours été étrangère à l'internationalisme prolétarien – et sa position de classe et sa base de reproduction excluent que cela soit autrement – elle pense, agit et s'organise toujours en tant que complément de la classe dominante.

L'argument selon lequel les masses ne seraient pas encore assez avancées ne fait que nous rappeler, à nous RAF et révolutionnaires, détenus dans l'isolement, dans les bâtiments spéciaux, dans les sections spéciales, subissant le lavage de cerveau, en prison ou encore dans l'illégalité, les arguments avancés par les cochons colonialistes en Afrique et en Asie depuis 70 ans, les Noirs, les analphabètes, les esclaves, les peuples colonisés, torturés, opprimés, affamés, souffrant sous le joug du colonialisme « ne sont pas encore assez avancés » pour prendre eux-mêmes en main, en tant qu'êtres humains, leur administration, l'industrialisation, leur école, leur avenir.

Et dans les prisons il y a en effet à peine un seul détenu, qui devant cet espèce de porc d'avocat commis d'office, ne comprenne pas tout de suite et ne reconnaisse en lui le porc colonialiste, la classe dominante, le masque, le singe.

*Textes des prisonniers de la Fraction armée rouge et dernières lettres d'Ulrike Meinhof*, Édition François Maspero, collection Cahiers libres, 1977

### Dire adieu

*Mara Cagol, épouse du brigadiste R. Curcio, tuée par la police en 1975, avait écrit cette lettre de justification à ses parents, se réclamant des partisans de la Seconde Guerre mondiale.*

Mes chers parents, je vous écris pour vous dire de ne pas trop vous préoccuper à cause de moi. C'est maintenant à moi et à mes camarades qui veulent combattre ce pouvoir bourgeois d'agir ; je vais continuer la lutte. Je vous prie de ne pas croire que je sois une inconsciente. Grâce à vous j'ai grandi instruite, intelligente, et surtout forte. Et en ce moment, cette force, je la sens profondément en moi.

Ce que nous faisons est juste et saint, l'histoire me donne raison comme elle a donné raison à la Résistance en 1945. Mais, me direz-vous, ce sont des moyens justes ? Croyez-moi, il n'en existe pas d'autres. Cet État policier se mène par la

force des armes, et qui veut le combattre doit se placer sur le même plan. Ces derniers jours, ils ont tué d'un coup de pistolet un garçon, comme si de rien n'était, alors que son seul tort était de vouloir trouver une maison où habiter avec sa famille. C'est arrivé à Rome où le quartier des baraques construites avec des cartons et de la tôle ondulée fait contraste avec les somptueuses résidences du quartier de l'Eur. [...] Aujourd'hui, dans cette phase cruciale de la crise, il faut plus que jamais résister afin que le fascisme sous de nouvelles formes « démocratiques » n'ait pas le vent en poupe. En dépit de l'arrestation de Renato, mes choix révolutionnaires restent donc inchangés. Je saurai m'en tirer dans n'importe quelle situation, et aucune perspective ne peut m'impressionner ou me faire peur.

Margherita Cagol, *Progetto memoria, Sguardi ritrovati,* Sensibili alle foglie, 1995, traduction de François-Bernard Huyghe

### L'ennui terroriste

*Pendant les années de plomb, des centaines d'activistes comme « Giorgio » ont vécu dans la clandestinité, qui implique aussi sa part de routine et d'ennui.*

De même que souvent l'ennemi n'a plus de majuscule et qu'il a perdu les vestiges du pouvoir, nos opérations n'ont rien de spectaculaire ou de rocambolesque. La préparation d'un attentat dans notre manière de mener la lutte armée, aujourd'hui en Italie, correspond plus à la technique d'un expert-comptable scrupuleux qu'à celle d'un guérillero. Elle est plus faite de précision que d'audace, plus de calcul que de courage. En ce moment, à l'évidence, je lis beaucoup ; et si je devais donner une idée de quelque chose qui ressemble à mes activités, je devrais donner comme référence plutôt George Smiley, le chef du service secret dans les romans de Le Carré, que James Bond. Je pense à George Smiley à cause de l'anonymat, à cause de ses talents de camouflage, et de sa faculté de mémoriser, d'archiver et de recueillir les informations : et surtout les détails. Et par conséquent, nos scénarios, nos schémas de préparation n'ont rien à voir avec des assauts de blindés, ni avec les plans audacieux visant à faire sauter des abris secrets ou des contingents militaires entiers. Un attentat se prépare avec de bonnes et solides chaussures et un bon manteau. Pour le reste, la préparation d'un attentat est une longue série du style : via Rossi, à l'angle de la via Pontacio, puis via Vittorio Emmanuele, bar del Portico au 81, 83 et 85 bis, porte 12, à 1 h 45 le 17/01. Je crois qu'il y a peu de guerres, de guérillas ou de faits d'armes – appelez-les comme vous voudrez – qui aient requis autant que la nôtre ces qualités de petit employé.

Giorgio, *Profession terroriste*, Mazarine, 1982

### La solitude du P 38

*Au cours des émeutes de 1977, apparaissent des solitaires qui tirent sur la police, mais visent aussi à produire des images qui frapperont l'opinion.*

Dans la masse de toutes les photos parues, une toutefois a fait la une de tous les journaux après avoir été publiée par le *Corriere d'informazione*. Il s'agit de la photo d'un individu en cagoule, seul, de profil, au milieu de la rue, les jambes écartées et les bras tendus, qui tient horizontalement avec les deux mains un pistolet. Sur le fond, on voit d'autres silhouettes, mais la structure de la photo est d'une simplicité classique : c'est la figure centrale qui domine, isolée. S'il est permis (d'ailleurs, c'est une obligation) de faire des observations esthétiques dans des cas de ce genre, cette photo est de celles qui passeront à l'histoire et apparaîtront dans des milliers de livres. [...] Qu'a « dit » la photo du tireur de Milan ? Je crois qu'elle a révélé tout d'un coup, sans beaucoup de déviations discursives, quelque chose qui circulait dans beaucoup de discours mais que la parole n'arrivait pas à faire accepter. Cette photo ne ressemblait à aucune des images qui avaient été l'emblème de l'idée de révolution pendant au moins quatre générations. Il y manquait l'élément collectif et la figure du héros individuel y revenait de façon traumatisante. Ce héros individuel n'était pas celui de l'iconographie révolutionnaire qui a toujours mis en scène des hommes seuls dans le rôle de victime, d'agneaux sacrifiés : le milicien mourant ou le Che tué, justement. Ce héros individuel, au contraire, avait l'attitude, l'isolement terrifiant des héros de film policier américain (le magnum de l'inspecteur Callaghan) ou des tireurs solitaires de l'Ouest, qui ne sont plus aimés par une génération qui se veut une génération d'Indiens.

Umberto Eco, *La Guerre du faux*, Grasset, 1985

# Jihad

*L'obligation du jihad, la terre d'Islam envahie ou menacée, sa reconquête et donc le rapport de la tradition théologique avec des objectifs politiques futurs : des thèmes constants de la mouvance al Qaïda.*

### Le devoir de jihad

*Abdallah Azam, théologien palestinien (1941-1989), fut surnommé « l'imam du jihad » pour son influence sur les mouhadjidines luttant contre les Soviétiques en Afghanistan.*

Les commentateurs, spécialistes du hadith, juristes et fondamentalistes sont tombés d'accord pour affirmer que si l'ennemi pénètre en territoire musulman ou sur une terre qui fut musulmane, les habitants de ce pays doivent l'affronter, et, s'ils ne le font pas, en sont incapables ou traînent les pieds, l'obligation s'étend à ceux qui leur sont proches, et ainsi de suite jusqu'à ce que cela comprenne la terre entière, et personne ne peut y déroger, cela serait comme se dispenser d'accomplir la prière ou le jeûne, de sorte que le fils peut partir en guerre sans l'autorisation de son père, le débiteur sans l'autorisation de son créancier, la femme sans l'autorisation de son mari, l'esclave sans l'autorisation de son maître. Cette obligation individuelle demeure jusqu'à ce que le pays soit purifié de la souillure des infidèles (cela dit, le départ en guerre de la femme doit se faire accompagnée d'un parent).

Je n'ai pas trouvé (au cours de mes lectures limitées) un livre de jurisprudence, de commentaire ou de hadith qui dise le contraire, aucun des pieux Anciens n'a affirmé qu'il s'agit d'un devoir collectif ou qu'il faille demander l'autorisation des parents ; et le péché ne sera pas effacé tant qu'un territoire musulman (ou qui le fut) demeure entre les mains des infidèles, seul celui qui combat verra son péché remis.

Cité in *Al-Qaïda dans le texte* (dir. Gilles Kepel), PUF, 2008

### Nous sommes les victimes

*La « Déclaration du Front islamique mondial pour le jihad contre les juifs et les croisés » de Ben Laden en 1998 est le programme fondateur pour l'action de l'organisation qu'il est convenu de nommer al Qaïda.*

Aujourd'hui, personne ne peut contester trois vérités dont les preuves abondent et sur lesquelles s'accordent les hommes justes ; nous les citons pour qui peut les entendre, qu'il en meure ou vive, à savoir :
1° Depuis plus de sept ans, l'Amérique occupe le plus sacré des territoires musulmans (la péninsule Arabique), pille ses richesses, donne ses ordres à ses gouvernants, humilie ses habitants, effraie ses voisins et a fait de ses bases des fers de lance pour combattre les peuples musulmans voisins. Si jamais quelqu'un a contesté cette occupation,

tous les habitants de la péninsule le reconnaissent aujourd'hui, et rien ne le montre mieux que la persistance de l'agression américaine contre le peuple d'Irak à partir de la péninsule, bien que tous ses gouvernants refusent d'utiliser leur territoire à cette fin, tout en y étant contraints.

2) En dépit des immenses destructions subies par le peuple irakien du fait de la coalition judéo-croisée et malgré le nombre immense de victimes qui approche le million, en dépit de tout cela, les Américains essaient encore de répéter ces massacres effrayants : comme s'ils ne se contentaient pas de l'embargo suite à la guerre violente et du déchirement et de la destruction, ils viennent aujourd'hui anéantir ce qui reste de ce peuple, et humilier ses voisins musulmans.

3) Si les buts de guerre des Américains sont religieux et économiques, ils viennent aussi servir le petit État des Juifs, et son occupation de Jérusalem, sans parler des assassinats de musulmans. Rien ne le montre mieux que leur ardeur à détruire l'Irak, l'État arabe le plus puissant dans la région, et leur souci de démanteler tous les États de la région comme l'Irak, l'Arabie saoudite, l'Égypte et le Soudan pour en faire des États de carton-pâte qui assureront par leurs divisions et leurs faiblesses la survie d'Israël ainsi que la poursuite de l'inique occupation croisée de la péninsule arabique.

Tous ces événements et crimes constituent de la part des Américains une franche déclaration de guerre contre Dieu et Son Prophète et les oulémas savants de toutes les écoles, tout au long des siècles musulmans, sont d'accord pour affirmer que la guerre sainte est un devoir individuel (suivent des citations d'oulémas)…

En conséquence, et conformément à l'ordre de Dieu, nous rendons à tous les musulmans le jugement suivant :

Tuer les Américains et leurs alliés, qu'ils soient civils ou militaires, est un devoir qui s'impose à tout musulman qui le pourra, dans tous les pays où il se trouvera, et ce jusqu'à ce que soient libérés de leur emprise les mosquées d'al-Aqsa comme la grande mosquée de La Mecque, et ce jusqu'à ce que leurs armées sortent de tout territoire musulman, les mains paralysées, les ailes brisées, incapables de menacer un seul musulman, conformément à Son ordre, qu'il soit loué : « Combattez les polythéistes totalement comme ils vous combattent, totalement, et sachez que Dieu est avec ceux qui le craignent. » Ainsi que sa parole : « Combattez-les jusqu'à qu'il n'y ait plus de sédition et que le culte de Dieu soit rétabli. »

Cité in *ibid.*

### Mourir pour vaincre

*Étudiant 235 campagnes d'attentats suicides de 1980 à 2003, l'Américain Robert Pape conclut qu'elles répondent à une logique stratégique bien plus qu'à la psychologie anormale des kamikazes.*

La logique stratégique de l'attentat suicide vise à la coercition politique. La grande majorité des attaques terroristes suicide ne sont ni isolées ni pratiquées au hasard par des individus fanatiques, mais se produisent plutôt en séries, comme éléments d'une campagne plus vaste d'un groupe organisé en vue d'un but politique spécifique. En outre, le but principal de la plupart des groupes terroristes est absolument concret. Les campagnes de terrorisme suicide sont d'abord nationalistes, pas religieuses et moins encore islamistes. Chacun des groupes qui ont monté une campagne suicide au cours des deux dernières décennies avait pour objectif principal ou central de contraindre un État étranger qui a des forces stationnées dans ce que les terroristes considèrent comme leur patrie à se retirer… Même al Qaïda rentre dans ce schéma… Rattacher les campagnes suicides d'al Qaïda à la seule religion ne serait pas exact. Les cibles que vise al Qaïda et la logique stratégique articulée par ben Laden pour expliquer en quoi ces opérations suicides doivent aider à accomplir les objectifs d'al Qaïda, tout cela suggère que le but principal de cette organisation est de mettre fin à l'occupation de la Péninsule arabe et d'autres régions musulmanes. La source de l'animosité d'al Qaïda envers ses ennemis est ce qu'ils font, non ce qu'ils sont.

Robert Pape, *Dying to Win : the Strategic Logic of Suicide Terrorism*, Random House, 2005
traduction de François-Bernard Huyghe

### Défendre sa terre

*Ayman al Zawahiri, ancien dirigeant du Jihad islamique égyptien qui a fusionné avec al Qaïda en 1998, en est devenu le principal idéologue, puis a succédé à ben Laden en 2011.*

Le Seigneur ne nous a pas seulement interdit de faire alliance mais nous a aussi ordonné de mener le jihad contre les infidèles d'origine, les apostats et les hypocrites.

*A) Le jihad contre les infidèles et son caractère obligatoire lorsqu'ils s'emparent de terres musulmanes*
Ibn Taymiyya (que Dieu ait son âme !) a dit : « Si l'ennemi entre sur les territoires musulmans il faut sans aucun doute le repousser de proche en proche car les

terres musulmanes sont comme un seul pays, il faut se mobiliser sans demander l'autorisation de son père ni de son créancier, les textes d'Ahmad sont clairs à ce sujet. » Il ajoute : « Quant au combat défensif, c'est la plus violente forme de défense contre l'agresseur de l'honneur et de la religion, c'est donc un devoir selon l'avis de tous les juristes. Cet ennemi agresseur qui corrompt la religion et la vie, rien n'est plus nécessaire après la foi que de le repousser, cela n'est pas soumis à condition mais selon la possibilité, c'est ce qu'ont édicté les oulémas, nos maîtres et d'autres. Mais il faut faire la différence entre repousser l'ennemi infidèle agresseur et l'affronter dans son pays […]. »

Considérez donc cette parole forte et puissante du savant moudjahid, le cheikh de l'islam, Ibn Taymiyya (que Dieu ait son âme !), dans son raisonnement sur le consensus des oulémas à propos du jihad contre les infidèles qui conquièrent les pays musulmans, et considérez son affirmation que rien après la foi n'est plus nécessaire que de les repousser, et c'est ce sur quoi sont tombés les oulémas (que Dieu ait leur âme !). Puis comparez ces propos avec ceux des oulémas de cour, des prêcheurs de résignation qui tentent à tout prix de détourner les musulmans du jihad, afin que les infidèles envahisseurs puissent conquérir nos terres en toute sécurité et qu'ils atteignent leur but facilement, tranquillement et calmement.

*B) Le jihad contre les apostats gouvernant les terres musulmanes*
L'une des plus importantes formes de jihad personnel aujourd'hui est celui contre les gouvernants apostats qui bafouent les lois révélées et s'allient aux juifs et aux chrétiens. C'est un ordre sur lequel tous les oulémas (que Dieu ait leur âme !) sont tombés d'accord et dont les preuves abondent…

*C) Le jihad contre les hypocrites*
Dieu (qu'Il soit exalté !) a ordonné à son prophète (que Dieu lui accorde la prière et le salut !) de mener le jihad contre les hypocrites avec sévérité, vigueur, démonstration de la preuve en donnant l'exemple et en exécutant les châtiments.

*Les excuses inacceptables de ceux qui font alliance avec les infidèles*
Le Seigneur (qu'il soit loué !) n'a pas accepté d'excuse des hypocrites pour faire allégeance aux infidèles et les soutenir par peur des revers de fortune et des vicissitudes, de l'Histoire, car parfois les infidèles l'emportent sur les musulmans, et les hypocrites pourraient trouver un soutien auprès d'eux. Mais Dieu (qu'il soit exalté !) a dit : « Ô vous qui croyez ! Ne prenez pas pour amis les juifs et les chrétiens : ils sont amis les uns des autres. Celui qui, parmi vous les prend pour amis, est des leurs. »

Cité in *Al-Qaïda dans le texte*
(dir. Gilles Kepel), PUF, 2008

### Le soutien posthume de ben Laden au printemps arabe

*Dans un message audio diffusé après sa mort, ben Laden approuvait les révolutions arabes du début de 2011 qui renversaient des tyrans pro-occidentaux.*

Tout retard pourrait provoquer la perte de cette opportunité et la déclencher avant l'heure exacte augmenterait le nombre de victimes […] Je pense que les vents du changement vont souffler sur l'ensemble du monde musulman avec la permission d'Allah. Il y a une grande et rare opportunité historique de se soulever avec l'Oummah et de vous libérer de la servitude décidée par les dirigeants, de la loi des hommes et de la domination occidentale… Qu'attendez-vous ? Sauvez-vous et sauvez vos enfants car une grande chance s'offre à vous. C'est un grand péché et une immense ignorance de gâcher cette opportunité que l'Ummah attend depuis des décennies. Profitez donc de cet avantage et détruisez les idoles et établissez la justice et la foi : « À ces révolutionnaires libres dans tous les pays : tenez bon dans votre initiative et méfiez-vous des négociations, car il n'y a pas de juste milieu entre le peuple de la vérité et le peuple du mensonge. »

Traduction de François-Bernard Huyghe

### Prendre les armes

*Né en 1978, Adam Pearlman, cet Américain converti à l'Islam en 1995 sous le nom d'Adam Gadham est typique des jihadistes dits homegrowns, éduqués en Occident et qui se joignent à la guerre sainte.*

Les musulmans en Occident doivent se souvenir qu'ils sont à l'endroit parfait pour jouer un rôle important ou décisif dans le jihad contre les Sionistes et les Croisés et pour causer un dommage majeur aux ennemis de l'Islam qui lancent une guerre contre leur religion, leurs sanctuaires et leurs biens. C'est une opportunité en or et une bénédiction.

Prenez l'exemple américain. En Amérique, il y a abondance d'armes faciles à obtenir absolument partout. Vous pouvez aller à une foire aux armes au centre local de réunion et repartir avec un fusil d'assaut entièrement automatique, sans vérification de votre dossier et très vraisemblablement sans avoir à montrer de pièce d'identité. Alors qu'attendez-vous ? ... S'attaquer à ces criminels [ici la vidéo montre des logos de grandes compagnies comme Exxon, Merril Lynch et Bank of America] n'est pas aussi difficile que vous pourriez le penser. Vous avez vu comment une femme a pu renverser le pape pendant la messe de Noël ou comment le leader italien Berlusconi s'est fait écraser la figure pendant une apparition en public. Ainsi, il s'agit seulement de confier ce projet à Allah et de choisir le bon endroit, le bon moment et la bonne méthode. Si c'est la volonté d'Allah que vous soyez capturés, ce n'est pas la fin du monde, et cela ne signifie pas nécessairement que vous allez passer le reste de votre vie en prison… Nombre de mouhadjidines qui ont été pris sont maintenant de retour avec leur famille ou au front, en train de combattre les ennemis… Ces dernières années j'ai vu relâcher beaucoup, beaucoup de mouhadjidines qui n'auraient jamais rêvé de retrouver leur liberté.

### Révolutions arabes et jihad

*Alors qu'aux USA beaucoup voient dans les révolutions arabes et leurs valeurs démocratiques un démenti à al Qaïda, l'éditorialiste de* Foreign Affairs *Daniel Byman nuance l'optimisme des médias américains et préconise une offensive idéologique.*

L'administration Obama doit empêcher al Qaïda d'exploiter sa liberté de mouvement dans le monde arabe, et, en même temps, tirer avantage de ce que son discours a été discrédité. Les efforts d'influence américains devraient souligner l'opposition d'al Qaïda à la démocratie et mettre en lumière l'idée maintenant crédibilisée que les réformes peuvent résulter de changements pacifiques. Ce message devrait être répandu par télévision et radio, plus une attention toute particulière pour Internet, étant donné l'importance de la Toile pour toucher les jeunes générations. […]

Al Qaïda va sans doute essayer de se réadapter et de développer un message cohérent sur la réponse jihadiste aux révolutions. […]

Bien entendu, al Qaïda essayera de jouer sur les deux tableaux. Quand les États-Unis n'interviendront pas, pour empêcher des régimes autoritaires de s'en prendre à leurs citoyens, ils dénonceront les USA comme complices de la tyrannie. Quand nous interviendrons, al Qaïda essayera d'exploiter les sentiments anti-américains de la population, et de les inciter à attaquer nos forces en présentant notre intervention comme une étape d'un plan général de conquête du Moyen-Orient. […]

Pour le moment, il y a des raisons de penser que les révolutions arabes bénéficieront à nos efforts de contre-terrorisme. Mais cet espoir doit être mis en regard du fait qu'à court terme, al Qaïda gagnera de la liberté d'action, que les USA et leurs alliés ont besoin de réadapter leur message, de maintenir la pression sur la direction d'al Qaïda, de se préparer à contrer ses efforts pour exploiter les guerres civiles et de renouveler leur coopération dans la région pour empêcher al Qaïda d'empocher les bénéfices à long terme de ces changements.

« Terrorism After the Revolutions. How Secular Uprisings Could Help (or Hurt) Jihadists », *Foreign affairs,* mai-juin 2011 Traduction de François-Bernard Huyghe

### Le jihad sans ben Laden

*Quelques jours après la mort de ben Laden, Richard Falkenrath, le responsable du contre-terrorisme à New York, modère aussi le triomphalisme ambiant : il se pourrait qu'il soit aussi dangereux mort que vivant.*

Il n'y a aucune raison de s'attendre à ce que le péril terroriste islamiste décroisse après la mort de ben Laden. Il s'était depuis longtemps détaché du contrôle tactique direct du terrorisme global et des projets menés sous les couleurs d'al Qaïda, l'organisation qu'il avait fondée dans les années 1990. Certes, il était impliqué dans la planification et la direction des attentats d'al Qaïda contre les ambassades US du Kenya et de Tanzanie en 1998, dans l'attaque contre l'*USS Cole* en 2000 et, bien sûr, dans le 11 septembre 2001. Mais après l'attaque de sa base arrière en Afghanistan et sa fuite au Pakistan fin 2001, il est devenu clair que sa survie dépendait de la réduction au strict minimum de ses contacts avec le monde extérieur. Planifier et diriger des attentats d'après le 11 septembre comme les bombes dans le métro de Londres en juillet 2005 ou les attentats de 2006 contre des avions allant de Londres aux USA étaient des tâches déléguées à une chaîne de commandements opérationnels dont aucun n'a survécu très longtemps. Ben Laden lui-même a fini par ne plus être connu que comme

une voix désincarnée sur cassette ou, occasionnellement, comme une image mal définie sur des vidéos.

Même dans ce rôle réduit, il était l'esprit malin, inspirant des douzaines d'attentats et attaques à petite échelle – et c'est un rôle qu'il peut continuer à jouer après sa mort. Al Qaïda avait métastasé en un mouvement décentralisé et sans forme de cellules terroristes à travers le monde. [...]

Parallèlement, l'absence de ben Laden de l'équation terroriste peut compliquer les opérations globales de contreterrorisme US. Ce qui compte en politique, c'est la perception, chez soi et hors frontières. Or nombre des composantes principales d'un programme de contre-terrorisme efficace – recrutement d'agents, utilisation unilatérale de la force mortelle avec le risque de dommages collatéraux, l'arrestation, l'interrogatoire, et quelquefois, la mort des suspects – sont désagréables, politiquement et légalement risquées et impopulaires. [...]

Il se pourrait que la mort de ben Laden finisse par être considérée comme la fin d'un âge d'or où les gouvernements coopéraient comme jamais auparavant contre une menace transnationale. [...]

Par-dessus tout, la mort de ben Laden est celle d'un symbole, en l'occurrence avec un sens différent pour différentes communautés. La survie de ben Laden dans son refuge pakistanais n'inspirait pas seulement des volontaires pour le jihad dans le monde ; elle permettait surtout une simplification provisoire de la stratégie de sécurité US qui se donnait pour but une protection sans faille du foyer américain contre une autre attaque destructrice venue de l'extérieur.

« Was bin Laden the easy part? », *Foreign Affairs*, 5 mai 2011

# BIBLIOGRAPHIE

**Théorie et histoire générale du terrorisme**
- Baudouï, R., *Géopolitique du terrorisme*, Armand Colin, 2009.
- Centre d'études et de recherches sur les stratégies et les conflits (dir. J.-P. Charnay), *Terrorisme et culture*, Les Sept Épées, 1981.
- Chaliand, G. et Blin, A., *Histoire du terrorisme*, Bayard, 2004.
- Cobast, E., *La Terreur, une passion moderne* Bordas, 2004.
- Cronin, I., *Confronting Fear: a History of Terrorism*, Thunder's Mouth Press, 2002.
- Daguzan, J.-F. et Lepick, O., *Le Terrorisme non conventionnel*, PUF, 2003.
- Hacker, F. J., *Crusaders, Criminals, Crazies: Terror and Terrorism in our Time*, Norton, 1976.
- Laqueur, W., in *Voices of Terror*, Sourcebooks, 2004.
- Marret, J.-L., *Techniques du terrorisme*, PUF, 2000.
- Pape, R., *Dying to Win: the Strategic Logic of Suicide Terrorism*, Random House, 2005.
- Primoratz, I. (dir.), *Terrorism: The Philosophical Issues*, Palgrave, Macmillian, New York, 2004.
- Rand Corporation, *How do terrorrists groups end?*, Rand, 2008.
- Robin, C., *La Peur, histoire d'une idée politique* Armand Colin, 2004.
- Turchetti, M., *Tyrannie et tyrannicide de l'Antiquité à nos jours*, PUF, 2001.
- Venner, D., *Histoire du terrorisme,* Pygmalion, 2002.

**Le terrorisme dans la littérature**
- Dostoïevski, F. *Les Démons* (*Les Possédés*), 1871.
- Conrad, J., *L'Agent secret*, 1907.
- Camus, A., *Les Justes*, Gallimard, 1961.
- Böll, H., *L'Honneur perdu de Karatina Blum*, 1974.

**Terrorisme révolutionnaire et nationaliste**
- Bauer, A. et Huyghe, F.B., *Les terroristes disent toujours ce qu'ils vont faire,* PUF, 2010.
- Bonanate, L., *Le Terrorisme international*, Castermann, 1994.
- Collectif, *Textes des prisonniers de la Fraction Armée Rouge et dernières lettres d'Ulrike Meinhof*, Maspero, 1977.
- Della Porta, D. (dir.), *Terrorismi in Italia*, Bologne, Il Mulino, 1984.
- Eisenzweig, U., *Fictions de l'anarchisme*, Christian Bourgeois, 2001.
- Elorza, A., *ETA, une histoire,* Denoël, 2002.
- Furet, F., Liners, A., et Raynayd, P., *Terrorisme et démocratie*, Fayard, 1985.

- Hoffman, B., *La Mécanique terroriste,* Calmann-Lévy, 1999.
- Marighella, C., *Mini manuel de guérilla urbaine*, Le Seuil, 1973.
- Maitron, J., *Le Mouvement anarchiste en France* (2 vol.), Gallimard, «Tel», 1975.
- Rapoport, D. C., *Modern Terror. The Four Waves,* Current History, décembre 2001.
- Tessandori, V., *Brigate rosse. Imputazione banda armata*, Garzanti, Milan, 1977.
- Thomas, B., *La Bande à Bonnot*, Tchou, 1968.
- Venturi, F., *Les Intellectuels, le peuple et la Révolution*, Gallimard, 1972.
- Wieviorka, M., *Sociétés et terrorisme,* Fayard, 1998.

**Jihadisme et terrorisme du XXI^e siècle**
- Arquilla, J., and Ronfeldt, D. *Network and Netwars: The Future of Terror, Crime and Militancy,* RAND, 2001.
- Bergen, P. L., *The Longest War. The Enduring Conflict Between America and Al Qaeda*, Free Press, 2011.
- Boniface, P., *Les leçons du 11-Septembre,* PUF, 2001.
- *Cahiers de Médiologie*, n° 13, «La scène terroriste», Gallimard, 2002.
- *Esprit* (revue), «Le monde de l'après 11-Septembre», août-sept. 2002, et «Terrorisme et contre-terrorisme, la guerre perpétuelle? », août-sept. 2006.
- Gary, J., *Al Qaeda and What it Means to be Modern*, Londres, Faber & Faber, 2003.
- Girard, R., *Achever Clausewitz,* Carnets Nord, 2007.
- Guidère, M., *Les Nouveaux Terroristes*, Autrement, 2010.
- Gunaratna, R., *Al-Qaïda. Au cœur du premier réseau terroriste mondial*, Autrement, 2002.
- Hassner, P., *La Terreur et l'Empire*, 2 vol., Seuil, 2003.
- Huyghe, F. B., *Écran/ennemi. Terrorismes et guerres de l'information*, Éditions 00h00, 2002.
- Juergensmeyer, M., *Terror in the Mind of God: The Global Rise of Religious Violence,* Berkeley, University of California Press, 2000.
- Kepel, G. (présenté par), *Al-Qaida dans le texte*, PUF, 2005.
- Labévière, R., *Ben Laden ou Le meurtre du père*, Favre, 2002.
- Ould Mouhamedou, O., *Understading al Qaeda The Transformation of War*, Pluto Books, 2007.
- Roy, O., *Les Illusions du 11-Septembre*, Seuil, 2002.
- U.S. Presidency, *National Strategy for*

*Counterterrorism*, Juin 2011, site de la Maison Blanche.
- Tawil, C., *Brothers in Arms : the Story of Al Qa'Ida and the Arab Jihadists*, Saqi Books, 2011.
- Walzer, M., *De la guerre au terrorisme,* Bayard, 2002.

# CHRONOLOGIE

**1878** Véra Zassoulitch tire sur le préfet de police à Saint-Pétersbourg.
**1881** Assassinat du tsar Alexandre II par les *narodniki*.
**1892** Première bombe de Ravachol. Début d'une série d'attentats.
**1893-1894** Lois scélérates.
**1912** Fin de la « bande à Bonnot ».
**1914** L'attentat de Sarajevo déclenche la Première Guerre mondiale.
**1919** Fondation de l'IRA.
**1928** Fondation des Frères musulmans.
**1932** Assassinat du président Paul Doumer par un anarchiste.
**1934** Assassinat d'Alexandre Ier de Yougoslavie.
**1946** Explosion de l'hôtel King David à Jérusalem.
**1947** Assassinat du comte Bernadotte par le groupe Stern.
**1954** Début des attentats du FLN en Algérie qui susciteront ceux de l'OAS jusqu'en 1962.
**1959** Fondation de l'ETA.
**1967** Fondation du Front populaire de libération de la Palestine (FPLP).
**1968** Détournement des avions d'El Al par le FPLP.
**1969** Bombes de la Piazza Fontana en Italie.
**1970** Premiers attentats des Brigades rouges.
**1971** Premiers morts dus à la Fraction armée rouge en Allemagne.
**1972** Attentats à l'aéroport de Lod (Israël).
**1973** Assassinat du ministre espagnol Carrero Blanco.
**1974** Les Brigades rouges enlèvent le juge Sossi ; grève de la faim des prisonniers de la RAF.
**1975** Prise d'otage des ministres de l'OPEP par Carlos.
**1977** Émeutes en Italie. Enlèvement de Martin Schleyer et mort des membres de la RAF en Allemagne de l'Ouest.
**1978** Assassinat d'Aldo Moro par les Brigades rouges.
**1980** Attentats de Bologne en Italie et de la rue Copernic à Paris.
**1981** Assassinat du président Sadate.
**1982** Attentats contre les troupes française et américaine à Beyrouth (299 morts).

**1983** Bombe au comptoir de la Turkish Airlines à Paris (Asala).
**1984** Assassinat d'Indira Gandhi .Nombreux attentats à la bombe d'Action directe en France et des Cellules combattantes communistes belges.
**1985** Un Boeing 747 d'Air India explose (329 morts).
**1986** Attentat contre une discothèque allemande fréquentée par des GIs.
**1987** Attentat rue de Rennes : 7 morts. Voitures piégées à Madrid (ETA, 21 morts), à Karachi (72 morts)…
**1988** Explosion d'un avion de la Panam au-dessus de Lokerbie (Écosse) attribué au colonel Kadhafi. Fondation d'Al-Qaïda.
**1989** Explosion d'un DC 10 d'UTA au-dessus du Niger (170 morts).
**1991** Assassinat de Rayjiv Gandhi en Inde, de l'ex-ministre iranien Chapour Baktiar à Paris.
**1992** Arrestation d'Abimael Guzmán, chef du Sentier lumineux.
**1993** Attentat au camion piégé contre les Twin Towers (168 morts).
**1994** Un attentat contre un centre juif de Buenos Aires (85 morts) ; détournement de l'Airbus d'Air France Alger-Paris ; Carlos arrêté.
**1995** Attentat de la secte Aum dans le métro de Tokyo. Bombe d'Oklahoma City. Attentats du GIA en France et contre le RER B à Saint-Michel (8 morts).
**1996** Attentat tamoul au Sri Lanka (90 morts).
**1997** Des islamistes ouvrent le feu sur des touristes à Louxor.
**1998** Attentats contre les ambassades américaines au Kenya et en Tanzanie (plus de 200 morts).
**2000** Attentat contre le destroyer *USS Cole* au Yemen.
**2001** Attentats du 11 septembre (près de 3 000 morts.)
**2003** Attentats contre des lieux touristiques à Casablanca.
**2004** Attentat contre les transports à Madrid, 191 morts.
**2005** Attentats suicides islamistes à Londres et à Charm el Cheikh en Égypte.
**2006** Attentats à la bombe dans les transports de Bombay.
**2007** Attentats suicides simultanés en Irak à Qahtaniya (796 morts), le plus sanglant depuis le 11-Septembre, bombes contre le Samjhauta Express en Inde.
**2008** Attentats de Bombay par un commando armé (209 morts).
**2009** Nombreux attentats au Pakistan dont un fait plus de 100 morts.
**2010** Attentats dans le métro de Moscou (39 morts).
**2011** Mort de ben Laden.

## CRÉDITS PHOTOGRAPHIQUES

AFP 28-29hg, 84. AFP/Abdelhak Senna 74b. AFP/Al-Jazeera 35b. AFP/Arif Ali 74h. AFP/Joseph Barrak 3. AFP/BBC/Gara 11. AFP/Mike Clarke 6-7. AFP/Files/J. David Ake 83. AFP/Getty Images/Peter C. Brandt couv. 1er plat.AFP/HO/Mike Rimmer 49h. AFP/HO/SITE Intelligence Group 43. AFP/Pornchai Kittiwongsakul 5. AFP/Jean-Philippe Ksiazek 93. AFP/Rafa Rivas 24. AFP/John Stillwell 92. Agence VU/Gilles Favier 89. Akg/DPA/Bildarchiv 64. Al-Jazeera 116. Al-Sahab 73. Chappatte 91h. Coll. part. 17, 97, 126. D.R. 34h, 60b, 76, 79, 113. Daily Express 8. Daily Mail 4, 87h. El Pais 47. Gamma-Rapho/Gamma/Kurita Kaku 48. Gamma-Rapho/Gamma/Cyril Le Tourneur 25. Gamma-Rapho/Gamma/TF1/Pool LCI 45. Gamma-Rapho/Keystone 27, 29hd, 34-35m, 44. Gamma-Rapho/Keystone/Mary Evans 13. Gamma-Rapho/Rapho/Véronique Durruty 57. Global Islamic Media Front 72. Igor Film-Casbah Film 91b. Kharbine-Tapabor 19. Leemage/Farabola 30-31. Leemage/FineArtImages/State Museum of History, Moscou 15. Leemage/MP 12, 32-33. Magnum Photos/Abbas 62, 75, 96. Magnum Photos/Susan Meiselas 58-59. Magnum/Steele-Perkins 23. Maxppp/EPA/Sergei Dolzhenko 42b. Maxppp/HO/New York City Police 38. Plantu 94. Prod DB © Augustus-Razor-Hazalah/DR 70h. Prod DB © Constantin Film Produktion/DR 68-69. Prod DB © Labyrinthe Films-Mika Cotellon/DR 70b. RAF 29b. REA/Redux/The New York Times 54. REA/The New York Times/Kelly Guenther 1. Reuters/Brendan McDermid 95. Reuters/Paul McErlane 63. Reuters/Toby Melville 77. Reuters/Kai Pfaffenbach 9. Reuters/Damir Sagolj 90. Reuters/Mohammed Salem 56, 66. Reuters/Suhaib Salem 52. Reuters/Pablo Sanchez 61d. Reuters/STR New 37, 81. Reuters/Str Old 51. Reuters/Stringer India 14. Ria Novosti 41. Roger-Viollet 18b. Roger-Viollet/Albert Harlingue 18h, 20-21. Roger-Viollet/Ullstein 80. Rue des Archives/Tal 22. Scoop/Paris Match/Jean-Claude Sauer 50. Sipa/AP couv 2e plat, 82, 88. Sipa/AP/Bill Foley 46. Sipa/AP/Adel Hana 86. Sipa/AP/Axel Seidemann 49b. Sipa/AP/STF/Ricardo Mazalan 53. Sipa/AP/STR 36. Sipa/AP/Time 78. Sipa/AP/United States Postal service 39. Sipa/Frilet 65. Sipa/Guadrini 67. Sipa/Sifaoui Mohamed 55. Sipa/Villard 85. Courtesy of the Tulsa World 2. Universal Pictures 71. White House 87b.

## ÉDITION ET FABRICATION

**DÉCOUVERTES GALLIMARD**
COLLECTION CONÇUE PAR Pierre Marchand.
DIRECTION Élisabeth de Farcy.
COORDINATION ÉDITORIALE Anne Lemaire.
GRAPHISME Alain Gouessant.
COORDINATION ICONOGRAPHIQUE Isabelle de Latour.
SUIVI DE PRODUCTION Perrine Auclair.
SUIVI DE PARTENARIAT Madeleine Giai-Levra.
RESPONSABLE COMMUNICATION ET PRESSE Valérie Tolstoï.
PRESSE David Ducreux.

**TERRORISMES, VIOLENCE ET PROPAGANDE**
ÉDITION Anne Lemaire.
ICONOGRAPHIE Any-Claude Médioni.
MAQUETTE Alain Gouessant.
LECTURE-CORRECTION Pierre Granet et Jocelyne Moussart.
PHOTOGRAVURE La Station graphique.

Docteur d'État en sciences politiques et habilité à diriger des recherches,
François-Bernard Huyghe, chercheur à l'Iris, enseigne la stratégie
de l'information notamment sur le campus virtuel de l'Université de Limoges
et au CELSA, Paris-IV Sorbonne. Il mène des recherches en médiologie
parallèlement à une activité de consultant. C'est aussi un blogueur influent
(http://huyghe.fr). Il est l'auteur de nombreux ouvrages dont, sur les questions
stratégiques, *L'Ennemi à l'ère numérique* (PUF, 2001), le livre électronique
*Écran/ennemi* (Éditions 00h00), et *Quatrième Guerre mondiale, faire mourir
et faire croire* (Éditions du Rocher, 2004) et, écrit en collaboration avec
Alain Bauer, *Les terroristes disent toujours ce qu'ils vont faire* (PUF, 2010).
Il a dirigé des numéros de revues : *Panoramiques* n° 52, « L'information, c'est
la guerre » (2001), *Les Cahiers de médiologie* n° 13, « La scène terroriste » (2002).

Dépôt légal : septembre 2011
Numéro d'édition : 180235
ISBN : 978-2-07-044207-2
Imprimé en France par IME